Carnets
urbains

Dans la même collection

L'Hermaphrodite endormi
Barbara Brèze, *1999.*

Collection les Interdits

Dominique Chénier

Carnets urbains

Nouvelles érotiques

Éditions GUZZI

Données de catalogage avant publication (Canada)

Chénier, Dominique, 1963

  Carnets urbains

  (Les interdits)

  ISBN 2-922419-09-6

1. Titre. 11. Collection

PS8555.H445C37 1999   C843'.54   C99-941410-0
PS9555.H445C37 1999
PQ2919.2.C43C37 1999

Éditions
Les Éditions Guzzi
690 Laflamme
Ste-Dorothée (Québec)
H7X 1Y9

Diffusion
Tél. et Téléc.: (450) 689-0516
Courriel: editionsguzzi@sympatico.ca

Dessins
Louis Robichaud

Maquette intérieure
Transaction montage

Dépôt légal
Bibliothèque nationale du Canada
Bibliothèque nationale du Québec
Bibliothèque Nationale de France
3e trimestre 1999

ISBN: 2-922419-09-6

1 2 3 4 5 - 99 - 03 02 01 00 99

Imprimé au Canada

À mes amants anciens,
futurs et imaginaires

À ceux et celles qui se
retrouveront entre les lignes

À tous les plombiers
du Plateau Mont-Royal

Je dédie *Carnets urbains*

D. C.

Panos le Grec

*T*oute femme possède en rêve sa version bien personnelle de l'homme idéal. Un homme qui saurait la chérir et l'aimer comme nul autre. Un homme qui irait au-devant de ses désirs, avant qu'ils n'existent véritablement en elle-même. Un homme qui quotidiennement la surprendrait, à table comme au lit. Un être entier, qui puisse démontrer une rassurante présence masculine quand elle en a besoin, tout en sachant s'éclipser au bon moment, pour la laisser dans son intimité propre.

– *Tu as vu mon sac de munitions?*

– *Dans la poche de ta veste de chasse!*

– *Et l'insecticide, tu as vu l'insecticide?*

– Avec tes produits de toilette, dans ton sac à dos.

Dans cinq minutes, Clovis serait parti pour sa partie de chasse annuelle. C'était devenu une tradition. En quinze ans de vie commune, il n'avait jamais manqué son rendez-vous avec le chevreuil.

Trois journées dans le bois du Nord à coucher sous la tente. Trois nuits passées à s'inventer des histoires de cul pour impressionner ses *chums*, à boire de la bière, et à manger des *bines*. Trois jours sans se laver, à se couvrir de *Muskoil* pour aller se tapir aux aurores dans les buissons, dans l'espoir et l'attente du plaisir immonde de tuer. Tuer d'un coup de gâchette une pauvre bête sans défense. Accourir devant le filet de sang qui s'écoule de son flanc, fixer les yeux terrorisés, lever son arme au ciel, se frapper la poitrine du poing et pousser le cri de victoire ultime du chasseur.

Il était six heures du matin. Ses deux copains klaxonnaient comme des débiles dans le *drive-way,* déjà à moitié saouls. *Arrive, Clovis, laisse ta femme tranquille... trois jours sans baiser, c'est pas la fin du monde!* Leurs rires gras retentissants signifiaient pour moi trois jours et trois nuits de paix et de liberté.

Où en étais-je? Ah oui, l'homme idéal. Cette année, je m'y étais pris de bonne heure. En prévision de cette partie de chasse, dès janvier, j'avais publié une annonce dans le Journal Rencontres 18+. « Jeune Gaspésienne bien roulée cherche amant d'un soir, propre et aimable, pour chaude nuit d'amour. »

– *Les enfants, dépêchez-vous, tante Nathalie est déjà là. Avez-vous toutes vos choses?*

– *Aaaahhhhh! Ouinnn! Maman! Ma doudou, Marc-André a pris ma doudou.*

Je laissai partir une taloche derrière la tête de Marc-André, et redonnai la doudou à ma fille. Je bouclai la ceinture de sécurité du petit dernier, les saluai une dernière fois de la main et, enfin, ils furent tous partis. Restait Tom le chat, et moi.

Je retournai vers la cuisine… un vrai champ de bataille! Tant pis. J'allais finalement pouvoir prendre un petit café et me délecter des lettres de mes correspondants.

Miaou! Comme si je n'avais pas déjà tout donné, Tom se caresse à ma jambe, devant son bol vide, me sommant, d'un miaulement suppliant, de lui servir son repas. Allez, tiens, voilà pour toi. Je lui remplis son plat à ras bords de céréales. Je serai quitte pour la fin de semaine.

J'avais reçu 118 messages dans ma boîte vocale. Je les avais tous écoutés, analysés, pour n'en conserver qu'une quinzaine. Ensuite je les avais appelés, un à un.

Aucune faille dans la voix. *Oui, c'est pour un adultère. Oui, on me dit jolie. Brunette, à la peau basanée, petits seins pointus, du 32-A. Cheveux longs. Je ne porte presque jamais de soutien-gorge. Et toi, quel genre de mâle es-tu? Quand as-tu baisé pour la dernière fois? As-tu de l'endurance au lit? Réussis-tu à faire jouir tes compagnes? Je n'aime pas les sado-maso.*

Avec l'assurance d'un meurtrier qui prémédite son crime, je questionnai ces hommes qui m'offraient leur sexe, et j'éliminai ainsi six prétendants. L'un pour vulgarité, l'autre pour son égoïsme, les autres pour manque d'intérêts communs.

Ensuite, j'ai reçu neuf lettres, avec photos. Le courrier arrivait dans ma boîte postale, que j'allais vérifier une fois tous les mois lorsque je descendais visiter ma mère à Québec. De ces neuf prétendants, j'en avais retenu trois.

J'ai relu les trois lettres, puis ai accordé une chaude session d'autoérotisme à chacun, photo en main. Mon ultime choix : Panos le Grec. Il avait l'air tellement cochon! Et il était vasectomisé. Divorcé trois fois, c'était un homme à femmes. Il les perdait les unes après les autres car elles ne pouvaient supporter qu'il en aime plusieurs à la fois et lui ne pouvait s'empêcher de toutes les désirer. Voici sa dernière lettre.

Chère Marilou,

Depuis que j'ai reçu ta lettre et ta photo, je ne pense qu'à toi. Je te réserve chacune de mes érections du matin. Jamais je n'ai connu de Gaspésienne. J'ai hâte de faire ta connaissance, en chair et en os.

Tu me demandes comment j'aime les femmes? Ce que j'aime le plus, c'est de voir leurs yeux chavirer, juste avant l'extase, quand, en les pénétrant, je touche enfin leur point G. Comme elles hier, j'aimerais demain te voir jouir et m'abandonner à jouir en même temps que toi, Marilou.

Je t'attendrai donc à Québec, le 3 septembre, à la chambre 3081 du Château Frontenac.

Donnons-nous une chance. Si au premier regard la magie n'opère pas, laissons tout tomber.

D'ici là, puisse Dieu te protéger. Au plaisir de te rencontrer.

Panos.

Cela me changerait de mon Clovis. Je m'étais pourtant juré, à 15 ans, que je ne ferais pas l'amour avec un seul homme. Et je me retrouvais pourtant là, à 29 ans. Déjà trois enfants et un seul homme dans mon lit depuis tout ce temps. Et tous ces désirs inassouvis. Cette fois, j'avais tout préparé, tout calculé, tout synchronisé.

Je me réservais toute une nuit. Peut-être deux. Panos était mieux de livrer la marchandise. Sur la photo, il ressemblait à l'acteur qui incarne l'amant dans le film *La leçon de piano*. Frisé, un peu trapu, musclé, le regard profond et secret, les tempes grisonnantes.

Et ce soir serait le grand soir. J'étais en pleine ovulation et la hâte d'aller le retrouver me faisait oublier mes dix mille nuits et jours passés à faire la bonniche dans ma maisonnette du bout de l'anse à Gaspé.

Je passai la matinée à me rendre désirable. Épilation, bain de mousse, maquillage, parfum. Je quittai la maison d'un pas insouciant, avec mon baise-en-ville et mes verres fumés. Je me permis de ne pas porter de petite culotte. Le voyage en autobus durait plusieurs heures et j'avais envie de me préparer mentalement. J'étais bien dans ma peau et j'attirais les regards.

Dans l'autobus, je tentai sans grand succès de m'intéresser à ma lecture. Comme une enfant impatiente de déballer ses cadeaux de Noël, je me trémoussais sur mon siège, soupirant et comptant les kilomètres qui me séparaient de ma destination.

Je décidai d'aller faire un tour aux toilettes pour me calmer le bouton tant j'étais excitée. Dans la cabine métallique froide et indifférente, je me sentais comme étrangère à la situation, perdue et loin de chez moi. Malgré tout je tentai de me réchauffer.

Il fallait que je me presse pour ne pas attirer l'attention. Aussi, après avoir vidé ma vessie dans le petit trou noir qui sentait fort l'urine et le désinfectant, je suçai mon doigt et le glissai doucement dans ma fente en fermant les yeux. *Panos, Panos, seras-tu à la hauteur de mes attentes?* La vibration et les secousses du car eurent vite fait de me transporter aux portes de la jouissance. Un tout petit orgasme, tout court et silencieux, juste pour l'attente.

Enfin au bout de mon voyage, je galopai dans la ville, en survolant presque les pâtés de maisons. J'aimais bien quitter l'air salin de Gaspé pour l'agitation de la ville. Des lumières, des passants, des odeurs de restaurants, des voitures impatientes. Vite, vite, je n'allais jamais assez vite.

La chambre 3081 est juste devant moi au bout du couloir. J'ai l'estomac noué mais pas question de reculer. La femme de campagne a envie de s'amuser ce soir.

Je frappai trois petits coups. Panos m'ouvrit. Me baisa la main. Je tremblais. Il était si laid, avec la peau de son visage creusée et ravagée par l'âge et le soleil, avec ses grandes oreilles qui lui descendaient quasiment aux épaules. Il était voûté. Et ça ne paraissait pas sur la photo. Laid, mais charmant. Oui, tout compte fait, il me plaisait tout à fait.

– *Tu veux du champagne?*

– *Oui.*

– Tu trembles. Tu es essoufflée.

– Oui.

– Tiens, prends. Quelques bulles te feront le plus grand bien. J'avais pensé, Marilou, qu'après un si long voyage, un massage te plairait. Tu en as envie? On dit que je sais masser comme un dieu grec et comme ça tu sauras tout de suite si tu aimes ma façon de toucher...

– Ta voix est chaude. Elle me plaît. Ton accent est charmant. Ça ne fait pas deux minutes qu'on est ensemble et je me sens plutôt bien.

– Tu n'as pas peur? Tu ne me sens pas... étranger?

– Non. Pas peur. Assieds-toi dans ce fauteuil. Pour te montrer que je ne te crains pas, je me déshabille devant toi, avant le massage.

Je relevai ma robe noire sans trop de manière, laissant vite apparaître ma chatte noire frisée et bien touffue, et mes tout petits seins, pointus et dressés.

– Ahhh! Comme tu es belle! Comment je vais faire, moi, maintenant, bandé comme cela, pour ne pas te faire l'amour tout de suite?

Sans bouger de son fauteuil, il retira son chandail, caressant ses seins et ses aisselles velus tout en me regardant.

D'instinct, sans doute, il ouvrit sa braguette, baissa son pantalon à ses genoux et se mit à caresser sa verge d'un mouvement langoureux. *Le massage devra attendre. J'aimerais, m'asseoir sur toi, là, tout de suite, et goûter, savoir si nous pouvons nous entendre.*

Je m'approchai de Panos, Panos que j'avais tant désiré avant de le connaître et sur qui je comptais pour me faire vivre quelques fantasmes fous. J'aimais la façon dont il me regardait, comme quelqu'un qui jouit de la vie, comme quelqu'un qui brûle de désir, comme quelqu'un qui ne fera rien pour se retenir. Je m'installai sur lui, sa bitte me pénétra immédiatement, chatouillant tout de suite mon clitoris suppliant. J'apprenais tout de nous, son haleine, mon mouvement, ses poils, ma folie.

– Est-ce que, ça te plait? Ahhhh. Pas... trop... vite!

– J'adore t'écouter parler et faire l'amour en même temps. Je n'ai pas l'habitude. Oui, un peu... plus vite. Un tout petit peu, plus creux. Donne-m'en un peu plus encore. De tout. Comme c'est bon ! Comme tu es bon, Panos, comme c'est bon. Je suis... à toi, déjà.

– Tu es gourmande. Tiens, prends.

*– Je ne peux plus attendre, j'ai attendu
trop longtemps.*

*– Tes yeux. Tes yeux chavirent, je, je
viens aussi.*

Voilà. Nous avions fait connaissance. Rien de bien compliqué! Pas de
position acrobatique, pas de préliminaires interminables, pas de gadgets. Parfois, et c'est encore plus vrai pour une
fille de la campagne, la simplicité a
meilleur goût que bien des artifices. Je
m'étais appuyée sur l'épaule de Panos
pour laisser fondre notre étreinte. Aussi
incroyable que cela puisse paraître, je
me suis endormie.

J'ai senti Panos me transporter dans
ses bras et me déposer sur les draps
frais. Il m'a caressé les cheveux et le
visage du revers de sa main. Ce soir-là
je n'ai pas entendu le bruit des vagues
me bercer pour m'endormir. J'ai pensé
à Clovis. Aux enfants. Au chat. Un peu.
Nous nous sommes endormis, comme
un couple de vieux époux.

Peu avant l'aube, j'ai senti sa main
cornée sur mon ventre. J'ai entrouvert
les yeux. De son autre main, il me les a
doucement refermés.

*– Ne résiste pas, laisse-toi aller. Je vais
te masser pour éliminer tes tensions.*

Pour que tu te donnes tout entière à
notre amour, tout à l'heure.

– Je... Quelle heure il est?

– Non, ne dis rien. Tais-toi. Goûte.
Prends ce que Panos te donne. Écoute
ce que ses grosses mains usées ont à te
dire. Je ne savais pas que tu me plaisais
tant. Tu es merveilleuse. Tu es exquise.
Avant que tu ne repartes, je veux te
donner quelque chose que tu pourras
rapporter avec toi dans ta Gaspésie
lointaine et qui te fera penser à moi.

Panos le Grec commençait à res-
sembler à l'homme que j'avais imaginé
dans mes rêves. C'est peut-être ça qui
me faisait peur; et pendant que ses
mains enduites d'huile au parfum d'eucalyptus pétrissaient tendrement ma
nuque, puis mes épaules, de grosses larmes coulèrent de mes yeux sur mes
joues, jusque sur l'oreiller. Panos ne dit
rien. Il continua à me masser jusqu'au
lever du soleil, touchant toutes mes extrémités, tous mes orifices et toutes les
ridules de ma peau et, ma foi, il avait
aussi touché mon cœur. Et ça, je ne
l'avais pas prévu.

Après le massage, Panos mit une
musique grecque qu'il avait apportée.

– Ça me rappelle mon pays. Ses eaux
bleues comme l'azur, ses maisons blan-

ches immaculées, ses montagnes, son vent chaud qui vous grise et vous enivre. Tu aimerais ça, je pense, toi qui connais aussi la mer.

Il dansait dans la chambre d'hôtel, souriant, claquant des doigts au rythme du chant que je ne comprenais pas. Posant son regard pénétrant sur moi, il s'approcha, s'agenouilla entre mes jambes, au pied du lit.

Il posa ses mains sur mes cuisses, les entrouvrant doucement pour frôler de ses doigts ma toison humide.

Je pense que tu es un cadeau du ciel. Je ne savais pas qu'un homme comme toi pouvait exister. Je suis plus molle qu'une poupée de chiffon, mais je veux que tu me goûtes encore. Descends ta bouche dans ma chatte. Oh! Oui! C'est ça. Dis-moi que je ne t'en donne pas assez, donne-moi l'expérience de ta bouche. Ta langue, oui, elle y est, j'engourdis.

De sa grande bouche ridée, il enveloppait toute ma vulve, y emprisonnant son souffle chaud. Il jouait de la langue comme d'un violon, passant d'une octave à l'autre avec grâce et harmonie.

Sa douceur n'a pas disparu, même quand nous avons roulé du lit sur le tapis pour nous accoupler enfin. Il m'a fait violence pour me prendre par derrière, car je ne voulais pas. C'était contre mes principes. J'avais toujours refusé avec Clovis. Mais j'étais emportée dans un tourbillon, dans un corps à corps dépossédé où tout n'était que délice et volupté.

Il a déviergé mon anus encore serré, avec toute sa délicatesse, sans le brusquer, l'a fait fleurir au bout de sa queue, dansant et valsant dans mon orifice timide.

Marilou, Marilou, je jouis, je viens en toi, je ne t'attends pas!

Il me mordit la nuque, comme un lion sur sa lionne, m'envoya son sperme d'une secousse plus forte et plus profonde, me serrant le poignet entre ses doigts. Le tapis m'égratignait les genoux et la joue.

Je me retournai, il s'étendit sur moi et trouva la force de bander encore. Je pris sa queue collante et tiède de mes deux mains et l'enfonçai tel un pieu en mon antre, déployant mes jambes aux limites de ma musculature. Il poussait, pilonnait, me possédait.

– Je t'aime, que je t'aime déjà, Marilou.

– Ne dis rien, ne parle plus. Donne-moi encore de ton foutre que je m'en délecte.

J'ai agrippé la patte du fauteuil et j'ai tiré, et j'ai poussé, de toute ma force, pour me faire défoncer et ensemencer de cette verge folle, me tortillant et embrassant à grands coups de langue mon amoureux hellène.

Il a compris, a cessé d'être doux, a tout donné, a recouvert ma bouche de la sienne, a pincé mon nez entre ses doigts, et quand mes yeux ont chaviré dans l'extase, juste avant que je ne suffoque par manque d'air, il a jailli encore, son cœur battant si fort qu'il se confondait avec le mien. Je n'avais plus d'odeur, je n'étais personne, plus rien sans son étreinte douloureuse qui m'écrasait les côtes.

– Tu n'es plus Panos. Tu es une bête. Retire-toi.

– C'est ta dualité toute féminine qui parle. J'ai vu tes yeux chavirer, j'ai eu ce que je voulais. Tu peux me rejeter maintenant. Je t'ai aimée.

Après nous nous sommes habillés, sommes descendus marcher, bras dessus, bras dessous, dans les rues étroites du Vieux-Québec. Nous avons mangé dans un charmant restaurant français, bu du bon vin, parlé de tout et de rien et surtout, bien ri. Nous vivions notre communion de nouveau couple, quand les hormones nous unissent, quand les phéromones font que rien ne puisse nous séparer, quand les différences deviennent similarités et que chaque regard de l'autre devient un compliment et une douceur.

De retour à l'hôtel il fallait déjà penser à se séparer, à partir, chacun de son côté.

– Il faut que je te fasse l'amour une autre fois, avant de partir. Il faut que je t'embrasse encore pour mieux imprimer dans les sillons de ma peau ton souvenir. Approche, ma mignonne biche gaspésienne, que je te fasse jouir encore.

– Ne me traite pas de biche, je pourrais penser que je suis ta proie. Je te dis oui, je veux bien faire l'amour encore, une dernière fois avec toi, Panos le Grec.

– Cette fois je me déshabille le premier. Vois comme tu me fais bander, petite chatte amoureuse, vois comme je suis prêt encore à l'évanouir en toi, cette érection.

Panos m'enlaça et m'embrassa, caressant sa poitrine velue à travers ma robe, poussant sa queue dans mon entrecuisse, coulant délicieusement de désir. De sa grosse main il souleva un côté de ma robe, s'agrippant à ma fesse, et son pénis trouva vite le chemin de mon bouton d'amour.

– *Pompe-moi mon trésor, pompe-moi ma douce...*

– *Je te pompe, mon dieu grec, rentre plus profond encore, plus vite et plus fort...*

Debout, tout près de la porte de la chambre demeurée entrouverte, Panos vit de nouveau mes yeux chavirer vers le bonheur, et tint promesse en éjaculant son sperme chaud tout au fond de moi en même temps que je jouissais, toute sensible et haletante au bout de son sexe.

Je retournai à Gaspé, telle une bête meurtrie et amaigrie, bercée et ivre de ce sexe que j'avais tant goûté. Le voyage fut long, sous la pluie, avec le vrombissement du moteur de l'autobus et le grincement monotone des essuie-glaces léchant le pare-brise.

Il est vrai que Panos le Grec a été un épisode inoubliable de ma vie. L'amertume et la rage qu'évoque en moi son nom, l'aversion que cause en moi l'odeur de l'eucalyptus ou le souvenir de son haleine me poursuivra de nombreuses années. Il est dommage qu'une histoire aussi belle se termine sur une note aussi moraliste et douloureuse.

J'ai dû tout avouer à Clovis. Du moins, presque tout. Mon innocence et mon insouciance se sont vite transformées en cauchemar quand mon herpès est apparu pour la première fois.

Horrible et douloureuse irruption purulente. Témoin d'une souffrance vertigineuse, traîtresse, récalcitrante et cyclique comme les saisons. Et il était trop tard. Trop tard pour pleurer, trop tard pour sauver Clovis, trop tard pour sauver les apparences. L'enfer m'avait rejointe jusque dans ma Gaspésie, et ne disparaîtrait plus jamais de ma mémoire, de mon visage, ni de mon sexe.

Alors je nous soigne à grands coups d'antibiotiques et de potions, à doses mesurées de granules et d'onguents malodorants. J'espère et j'imagine des scénarios pour reconquérir Clovis. L'aventure m'a inspiré mille folies pour égayer notre mariage. J'invente des occasions pour le séduire encore, et lui faire pousser plus loin les frontières de son plaisir, pour que nous nous émerveillions ensemble des limites insoupçonnées de nos corps autrefois complices.

Ce soir de novembre, je me glisse sous les draps auprès de Clovis endormi, toute parfumée, nue sous sa veste de chasse carrelée rouge et noire. Je lui flatte les reins, je me blottis contre lui. *Prends-moi, mon loup, prends ta mignonne biche gaspésienne.*

Une soirée au cinéma

*E*lle avait réussi à le convaincre de quitter ses pantoufles le temps d'une soirée à deux, qui serait trop vite passée. C'est que Monsieur son mari, après une dure journée de labeur passée à gagner sa vie, ne voulait rien d'autre que la quiétude de son foyer, et de bons petits plats bien apprêtés. Ensuite, son journal. *Le Devoir, Les Affaires, The New York Times, The Washington Post,* et un œil sur *Le Monde.*

Et quand il avait bien bossé, bien dîné, et qu'il était bien informé, il pétait dans son fauteuil, puis s'endormait pendant les nouvelles télévisées de 22 heures. Et ce, du lundi au dimanche.

Pourtant, elle ne s'attendait pas à ce que sa vie tombe dans une telle médio-

crité. Elle affirmait que le fait qu'il soit
plus âgé qu'elle n'y était pour rien non
plus. Qu'est-ce que représente un écart
de 17 ans entre un homme et une
femme? Disons que lorsqu'elle avait 20
ans et lui 37, elle admirait sa sagesse,
son expérience, sa fougue. Et maintenant? Qu'est-ce qui avait changé? Elle
avait 37 ans, et lui 54. Et entre les deux,
il y avait tout un monde.

Mais elle n'aimait pas s'apitoyer
sur son sort. Elle ne s'en donnait pas le
droit. Ni de raison pour le faire. Après
tout, ils étaient multimillionnaires! Et
en bonne santé! Elle avait un manoir à
Westmount, un chalet à Knowlton, un
condo à Key West, des voitures de luxe
et des domestiques. Elle avait une
garde-robe digne d'une princesse. Ses
sessions hebdomadaires chez l'esthéti-
cienne, la coiffeuse, la massothéra-
peute, et le plasticien (oh, juste un peu
de collagène), les sessions de *step* et
d'aérobie la faisaient paraître plus
jeune que son âge.

En ce samedi soir d'automne, elle
avait convaincu son riche mari de l'accompagner voir un film, au cinéma,
pour tromper son ennui. Il avait choisi
le film. Un film de guerre. Une saga
historique qui durerait trois heures. Le

chauffeur les avait déposés juste devant la porte.

Ils pénétrèrent dans la salle au moment où baissaient les lumières. Madame était ravie. Assise tout près de son sensationnel mari, elle réalisait à quel point, au fond, ils étaient bien ensemble.

Au beau milieu du film, qu'elle trouvait bien moche, elle lui chuchota qu'elle allait fumer une cigarette, chercher un rafraîchissement et se refaire une beauté. Il approuva d'un signe de la main sans quitter l'écran des yeux. Madame se dirigea vers le restaurant tout en fumant d'un air distingué, puis vers la salle des dames.

Oh! fit-elle, en arrivant nez à nez avec le jeune commis qui faisait sa ronde dans les toilettes. *Sorry, Milady,* répondit le jeune homme. Il avait de beaux grands yeux, mais une peau vilaine, acnéique. Il portait un écusson brodé à l'effigie du cinéplex : *Stanley, pour vous servir.* Il ne devait guère avoir plus de 16 ou 17 ans, pensa-t-elle.

En baissant les yeux, pour passer, elle ne put s'empêcher de remarquer, déformant son pantalon, la superbe érection qu'elle venait de provoquer. Le visage du jeune homme, qui tenait

encore sa vadrouille, tourna au pourpre.
Il tentait tant bien que mal de camoufler
la bosse de son pantalon en croisant
maladroitement les jambes.

Constatant avec satisfaction que son
pouvoir de séduction ne s'était pas ef-
frité avec le temps, Madame éclata de
rire et sans chercher à s'expliquer pourquoi, mit sa main sur la taille du jeune
homme, puis, avec assurance, lui retira
sa vadrouille.

– *Venez, Stanley, je vais vous montrer...*

Le commis recula maladroitement,
Madame avança habilement.

– *I am sorry Madam, I didn't mean to
offend you... you are so beautiful and
you smell so good!*

Il était confus et charmant dans son
embarras.

D'un pas de tango improvisé, au
rythme musak de *Yesterday* que cra-
chaient avec écho les haut-parleurs de
cette salle de bain, ils passèrent devant
les miroirs et se retrouvèrent rapidement dans la première cabine des toilettes.

La situation devint surréaliste. Il détacha son pantalon, brandit son pénis en
érection, la questionnant du regard.

Son sexe était un chef-d'œuvre comme elle n'en avait pas vu depuis fort longtemps et qui la fit saliver d'envie. En fait, elle ne croyait pas en avoir jamais vu de si belle taille, ni de si fringant. Elle était hypnotisée par cette verge rose. Il la lui présentait, la tenant d'une main, les doigts légèrement écartés, et l'organe dépassait sa main d'au moins sept centimètres, dressé comme une branche bourgeonnante. D'un accord tacite, ils s'embrassèrent ardemment, se goûtant l'un l'autre, synchronisant le désir.

D'apparence maladroite, le gamin s'avéra un redoutable expert. D'un geste pressé, il baissa la culotte de Madame, mit ses mains sur ses fesses fermes de danseuse aérobique, écartant les doigts, effectuant de légers mouvements circulaires vers l'extérieur. Il ouvrait délicatement la fente mouillée à chaque petit cercle.

Du bout du gland, il sillonna d'avant en arrière la raie tremblotante qui frémissait d'émoi. Elle lui mordait l'épaule pour ne pas crier, bavant sur sa peau tendre d'adolescent. Il souleva rapidement Madame, qui se retrouva le dos appuyé au mur froid de céramique, pénétrée par le garçon, qui démontrait une force hors du commun. Le geste

n'était pas malhabile, Madame le gui-
dant vers ses instincts les plus urgents.
Oui, ouiiii, ouiiiii, chuchotait-elle. À ce
moment, deux femmes vinrent aux toilettes et forcèrent les tourtereaux à ra-
lentir leurs ardeurs, mais la suite n'en
fut que meilleure.

Ils s'immobilisèrent et se regardè-
rent dans les yeux. Un peu de retenue,
puis une lente poussée, profonde et bien
sentie vint forger leur impatience. Et
pendant cette attente infinie, Madame
pompait de toute la force de ses muscles vaginaux, travaillant l'intérieur de
son ventre pour resserrer son emprise
sur cette énorme et puissante verge.
Elle était comme une orange qu'on fait
tournoyer au bout d'un extracteur à jus,
étourdie par cette superbe bitte.

Les femmes quittèrent la salle sans
rien remarquer et ce fut vite l'apogée
du manège.

– *Oui, oui oui, encore... oui, ouiiiii,
more, Stanley, more!* suppliait-elle, à
bout de souffle.

Pour qu'elle se taise, il l'embrassa,
lui mordillant les lèvres d'abord, puis
lui couvrant entièrement la bouche ensuite. Elle aima son haleine de che-
wing-gum et son faux regard de
débutant. Il fourrait et bottait de plus en

plus vite, des coups de boutoir forts et bien rythmés. Ça glissait comme dans du beurre. Ça coulait comme de la crème pâtissière. Un bruit de chairs mouillées qui se frottent et s'étirent précédait chaque éclat d'extase que la dame ne pouvait retenir.

Il fit enfin jaillir de son canon le fruit de cet amour si subit, projetant un liquide chaud et abondant, bien creux dans ce ventre qui n'en avait jamais tant bu. Lui jouit comme jamais il ne l'avait fait dans sa courte vie, soulevant cette femme par la force de ses reins, lui envoyant son sperme au plus profond des entrailles. Il expira, ouvrit les yeux, la sueur lui pissait sur le front, et il tenait bon sa position athlétique.

Et Madame, contre toute attente et malgré toutes ses années d'expérience, vivait son tout premier orgasme. Telle une fusée au moment du décollage, elle fut, hors de contrôle, propulsée dans un autre univers. Elle hurla dans la bouche de son amant, d'un grondement sourd de panthère assouvie.

Elle frappa sa tête sur le panneau de la cabine, donna des coups de pieds dans le vide, et perdit même un soulier tant ses orteils s'écartelaient dans tous les sens. Elle perdit aussi son sens de

l'élégance en cet instant, les yeux hors
de leur orbite, la langue pendante, bê-
lant et bavant.

C'était donc ça... enfin. Le temps
s'était arrêté, seul son sexe existait, elle
s'était sentie engourdie, pénétrée, submergée par ce flot de jouissance inespé-
ré. Elle qui était d'ordinaire si réservée
et timide au lit, ouvrait et refermait les
jambes comme les ailes battantes d'un
papillon, frottant ses seins mouillés sur
le torse de son étalon, dans un mouvement de va-et-vient de bas en haut, dans
un vaillant flic flac de sueur et de joie.

Après avoir observé avec fierté et
stupeur toutes ces expressions halluci-
nantes chez sa maîtresse d'un soir, se
sentant tout ragaillardi, le jeune homme
se retira délicatement, s'assura qu'il n'y
avait personne autour et alla récupérer
la chaussure perdue. Il chaussa Madame et lui baisa le genou. Elle fixait le
plafond, comme saoule, l'air perdu. Il
remonta son pantalon et ressortit, sa-
luant sa partenaire d'un baiser de la
main, saisit sa vadrouille et disparut.

Madame replaça ses vêtements, se
fit un brin de toilette très vite fait, et
regagna sa place auprès de son cher
mari.

– C'est un bon film, chérie, tu as bien fait d'insister pour me sortir de la maison, je m'amuse.

Madame et Monsieur regagnèrent leur cossu domicile. Madame ne parla guère du reste de la soirée.

Qu'est-ce que représente un écart de 17 ans entre un homme et une femme? Ce qui compte, parfois, ce sont quelques secondes.

Le plombier

*I*l était seulement venu réparer les tuyaux. Plombier de métier, il semblait aussi bien connaître les secrets des orifices de l'anatomie féminine que maîtriser ceux de la tuyauterie et des égouts.

J'étais gênée car je ne l'attendais pas si tôt et je flânais encore en robe de chambre quand il est arrivé. J'étirais l'avant-midi en feuilletant des magazines sur la terrasse et je n'avais pas vu le temps passer.

Qu'il était mignon, ce plombier! Nos regards se sont attardés l'un sur l'autre et, sentant passer un éclair d'énergie, j'ai pensé que mon désir pour lui rejaillissait sur l'expression de mon visage. Je retournai vivement vers la cuisine. Ses grandes mains et la non-chalance de son corps musclé m'avaient séduite. S'il m'avait touchée ou embrassée à ce moment-là, j'aurais été conquise. Il était midi. La sueur traversait son t-shirt et suintait sur ses tempes. Rasé de la veille, il sentait le tabac et l'eau de Cologne bon marché.

Je lui offris une bière avant qu'il ne commence son ouvrage et il accepta. Après tout, c'était vendredi et j'étais l'avant-dernière cliente avant les vacances de la construction. C'était la canicule de juillet, j'étais moite et en chaleur.

Le plombier me racontait qu'il préférait les femmes *au naturel* plutôt que celles qui se couvraient d'artifices et qu'il s'en allait passer la fin de la semaine dans un camp de nudistes. Le téléphone interrompit notre conversation. Pendant que je refusais de répondre à un sondage, son regard me scruta de haut en bas, puis s'attarda sans retenue sur mes seins, mes hanches, mes jambes… Je le regardai en raccrochant et il me demanda de lui montrer l'endroit où il devait travailler. Je l'avais accompagné pour la bière et j'étais plutôt de bonne humeur. Lorsque je pénétrai dans la salle de bain, il était derrière moi et son souffle houblonné m'effleura la nuque et l'oreille. Par-dessus mon épaule, dans le miroir, il remarqua mes mamelons durcis qui pointaient sous le coton brossé de ma robe de chambre.

Nos regards se croisèrent de nouveau. Avec du recul, je dirais que nous étions comme deux aimants qui, par un principe de physique – l'attraction –, s'attiraient fortement, naturellement. Nous étions fascinés l'un par l'autre en dépit du fait que nous étions de parfaits étrangers.

Le premier baiser fut réservé et provocant à la fois. Je tremblai sous ses longs doigts durs et noircis de graisse qui m'entouraient et me caressaient le dos, pour descendre vers ma croupe. L'atmosphère se liquéfia quand il vint chercher ma langue avec la sienne. Il goûtait la bière fraîche. Il tira mes fesses vers ses hanches et nos corps se touchèrent à travers les étoffes. Il m'aspergeait la bouche de sa salive mielleuse et embrassait comme un dieu. Ses lèvres charnues enveloppaient les miennes et m'empêchaient de respirer. Il tenait mon menton entre son pouce et son index et faisait pivoter ma tête au gré de ses mouvements de langue.

La situation devint indécente. Mes hanches s'engourdirent, mes cuisses s'ouvrirent, les tissus empêchaient nos peaux de se toucher et, entre les deux, c'était douloureux de plaisir. À travers son pantalon, je sentis sa queue toute gonflée qui ne demandait qu'à sortir. En moins de deux, j'étais sur le dos en étoile dans mon lit encore défait et il détachait sa ceinture et ses pantalons verts de construction. À la vitesse de l'éclair, il se déshabillait et s'engloutissait en moi.

De deux inconnus que nous étions, nous sommes devenus les deux pièces d'un casse-tête parfaitement assorties. Souples et mouillés, nous nous fondions l'un dans l'autre avec entrain. Il me possédait tout entière et sa sueur tombait à grosses gouttes de son front sur mes joues. Ses mains serraient mes poignets, pas trop pour ne pas me faire mal, mais juste assez pour me retenir. Son glissant mouvement de va-et-vient me saisissait d'émoi et chaque élan m'amenait un peu plus près de l'extase.

À la première secousse vraiment profonde qu'il me donna, je pensai à mon voisin. Feignait-il l'indifférence, quand il baissait les yeux devant mes taquineries? Quand je lavais la table sur la terrasse, je me penchais volontairement vers lui pour laisser entrevoir mes seins. Puis, je m'asseyais face à lui,

pliant les genoux, lui offrant une vue
imprenable sur mon jardin secret. Il ne
changeait pas d'expression, mais il
baissait les yeux. Ne le faisait-il pas exprès, à son tour, pour attirer mon attention le dimanche matin? Je prenais mon
café, il sortait en boxer sur son balcon,
et s'étirait bruyamment en exhibant fiè-
rement une imposante érection.

Mon plombier poussait des petits
râles qui contrastaient avec sa masculi-
nité et sa ferveur. Il accéléra légèrement
le rythme de ses coups de boutoir et me
regarda droit dans les yeux en glissant
ses doigts sous mes mèches de cheveux
rebelles. Je le regardai aussi dans les
yeux et sa douceur me rappela combien
ma belle-sœur était bien mariée. Je lui
enviais son mari : sa fidélité, son sens
du devoir, son caractère doux, son
corps élancé. Une bonne fois qu'il
prendrait le volant de sa mini-fourgon-
nette et que je serais à ses côtés, je lui
administrerais une fellation mémorable.
Personne n'en saurait rien. Non. Le
courage me manquerait sans doute.

J'adorais littéralement mon avant-
midi. Le plombier me pilonnait de son
dard. Je sentis monter en moi une ex-
plosion de minuscules étoiles dorées
qui rebondissaient tout autour. Le
temps s'arrêta quelques secondes, il

n'existait plus rien que cet homme en moi et ce plaisir qui m'envahissait comme une vague. Comment ai-je pu m'abandonner à cet homme avec tant de facilité? Je sentis jaillir sa semence contre les parois de mon ventre et comme autant de soupirs, les petits jets chauds réduisaient d'intensité.

Pendant quelques instants, satisfaits, on ne bougea plus. Puis il se retira et descendit sa bouche vers mon bas-ventre. Il m'embrassait autour du nombril et serrait mes mains dans les siennes. Mon cœur battait si fort. Je sentais mes mamelons encore durs comme des gommes à effacer de crayons, pendant que le sperme du plombier, coulant entre les poils de mon pubis, me refroidissait la peau. J'avais envie qu'il me prenne encore, que ça ne finisse jamais, qu'il me fasse connaître encore le plaisir.

Devinant mon excitation, il descendit d'avantage sa bouche et alla fouiner dans mes poils frisés. *J'adore les vraies blondes,* dit-il avant de s'engouffrer à nouveau dans ma toison. Sa langue s'aventura dans mon sillon et mes genoux se mirent à faiblir de bonheur.

Je ne pus que m'extasier devant tant de bonté. J'étais une bête d'amour.

J'étais à la fois remplie et comblée, mais perdue entre mon corps et mes pensées. Alors pendant que mon amant me dévorait la chatte, je pensais à ma copine Mireille et à son amant. S'il pouvait cesser de m'embrasser en cachette et de me déshabiller des yeux, pour plutôt mettre ses fantasmes à exécution. Il pourrait me prendre, un jour, lui aussi, et me pénétrer de son bâton d'amour. Je m'abandonnerais à lui et il m'amènerait au septième ciel.

Ho! Ce plombier d'amour est bouillonnant. Sa langue me secoue et me chavire. Je lui rentre mes ongles dans le dos et je crie. *Oui, oui, ouiiiiii!!!*

Ce fut tout. Il se calma et parut chercher une étincelle de satisfaction dans mon regard. Il se releva, remit son pantalon en souriant. Je lui souris et me relevai, encore de meilleure humeur que tout à l'heure.

Il répara la salle de bain en dix-huit minutes. Il ne voulut pas que je le paye, disant préférer mon amitié à ma clientèle. Il me tendit sa carte après y avoir inscrit son numéro de *pagette*. Sur le pas de la porte, il m'embrassa, comme on embrasse sa jeune épouse avant de quitter la banlieue pour aller travailler le matin. Il prit son coffre à outils et partit dans son *pick-up* bleu, rouillé.

J'ai allumé la radio FM *full blast*. J'ai pris une douche avec traitement royal : masque facial, crème exfoliante, huile essentielle de pin, shampooing aux herbes, dentifrice et rince-bouche à l'aloès. J'enfilai mon short de coton noir sans culotte, pour sentir encore le sperme me suinter dans l'entrecuisse, une camisole noire et une chemise bleu ciel déboutonnée. Rouge à lèvres bourgogne mat, un peu de poudre aux aisselles et sous les seins, et mes sandales.

C'est fou ce que l'amour rend belle. Je ne m'étais pas sentie aussi épanouie depuis longtemps. J'ai préparé un petit souper pour mon mari chéri et le coucher du soleil était superbe. On a mangé sur la terrasse, sous les vignes, avec comme musique de fond le bruissement des feuilles du tremble et le chant des oiseaux.

Le mur

Le manège commençait vers la pause-café de l'après-midi, au bureau, quand j'allais à la salle des dames. Je croisais souvent Raphaël Gauthier, un mignon collègue de travail, musclé et bien en chair. Beau petit cul. Marié. Peu m'importe. Car en fait, ce qui m'intéresse, c'est de lui voler quelques regards provocateurs et de l'imaginer nu, sans sa cravate et son attaché-case.

Il m'avait déjà pelotée à quelques reprises, après quelques bières, dans des 5 à 7 de la chambre de commerce. Disons qu'il avait la main aventureuse et le regard plongeant. Par exemple, lorsque j'arrivais dans la salle, en guise de salut, il se penchait pour m'embrasser sur l'arrière de la joue, et sortait furtivement sa langue pour lécher mon lobe d'oreille, avant de me murmurer discrètement *bonjour*.

Il passait sa main sous mon pull-over sans qu'il n'en paraisse. J'étais stupéfaite mais enchantée devant si peu de retenue. Je suis certaine que je devenais rouge tellement les joues me chauffaient. Comment pouvait-il me toucher si intimement tout en étant si discret? C'était là tout son art.

Alors depuis ce temps, quand on se croisait devant les toilettes, vers 16 h, j'espérais secrètement qu'il recommence et qu'il pousse plus loin ses manipulations irrévérencieuses. Nous nous croisions devant le poste du garde de sécurité dans le hall et parfois, je l'imaginais tendrement bandé, et mon rythme cardiaque augmentait sensiblement. Je ne m'ennuierais pas si je me retrouvais seule avec lui quelques minutes dans un lieu exigu. Je n'hésiterais pas un instant. Le gars en aurait pour son argent. Je me taperais l'infini bonheur d'une petite vite du genre *bing-bang-right-here-right-now-in-the-corner-baby*.

Mais je finissais par aller sagement me rasseoir à mon bureau. En fait, je

n'avais rien à envier à personne, côté
sexe. Je devais être un peu maniaque
sexuelle pour y penser tant chaque jour
et désirer tous ces hommes. Anciens
amants croisés dans un café, inconnus
vus dans le métro, acteurs célèbres, j'en
désirais au moins deux ou trois par jour.

Mais laissons de côté les fabula-
tions pour une chose concrète. Plus sé-
rieusement, je pensais à la session de
baise qui m'attendait quand je rentre-
rais à la maison, vers 17 h. Les images
se déroulaient dans ma tête à une vitesse folle et je ne me contenais plus.
J'étais incapable de me concentrer sur
mes dossiers, juste à l'idée de savoir ce
qui m'attendait. Les pensées lubriques
me déconcentraient et j'avais hâte d'aller le retrouver. Quand je franchissais le
mur du bureau pour me frayer un chemin à travers la foule sur le trottoir et
attraper le bus, je savais, et j'anticipais
en mouillant ma culotte la scène
d'amour qui m'attendait chez moi.

Quand je descendais du trop gros et
trop lent autobus, je traversais le parc
presque en courant. Lorsque j'arriverais
à l'appart, il serait là et la scène
d'amour commencerait, comme hier, et
comme avant-hier, et comme chaque
soir depuis que j'avais emménagé à
l'appart 404 d'un bloc miteux et mal

isolé de l'avenue du Parc. Mon homme m'attendrait et je ne demandais pas mieux que de m'abandonner sous les draps.

Je déverrouillais nerveusement la porte, encore essoufflée d'avoir traversé la ville à la course pour retrouver la sensation d'être femme. Il y avait toujours des rires quand j'arrivais. La joie de se retrouver après une journée de travail. J'avais acheté un bordeaux rouge, des fruits et quelques légumes, que je déposai sur la table de la cuisine en jetant mon manteau sur le dossier d'un fauteuil. Ça sentait l'ail, la friture et les épices, et Bach jouait en sourdine. Je me couchai sur le lit en regardant dans le miroir au plafond, mes cheveux étendus sur le couvre-lit. Le clavier bien tempéré de Bach résonnait et moi je commençais à me sentir bien.

Entendre le son de sa voix, l'écho de son rire, sentir sa présence suffisait à m'exciter. Je détachai lentement ma blouse. Je passai mes doigts tout autour de moi sous mon soutien-gorge puis le dégrafai et soupirai de soulagement. Je laissai tomber ma blouse au pied du lit et déposai mon soutien-gorge sur l'abat-jour de la lampe.

Topless, je me levai d'un bon et ouvris grand les rideaux. J'adorais sentir la lumière chaude envelopper ma peau et j'aimais bien l'idée que les voisins puissent tout voir.

Je retournai à la cuisine et saisis d'une main ma coupe de bordeaux et de l'autre un concombre anglais bien frais, pas encore pelé, il va sans dire. *Tu te demandes ce que je vais bien en faire*, pensais-je. *Pour commencer, je vais m'asseoir dessus et me caresser sans enlever ma culotte. Regarde bien, regarde-moi faire à cette chose ce que je voudrais faire de ta grosse queue dodue, mon ange.* Je pris une bonne gorgée de vin et enlevai ma jupe. Me voici presque nue, devant la fenêtre, portant seulement ma petite culotte et mes chaussures de secrétaire à talons hauts.

On dit que les talons hauts excitent les hommes autant que les femmes. La démarche ondulante qu'ils provoquent, la bonne excuse qu'ils donnent pour se faire bouger les fesses. La sensation qu'ils procurent aux pieds, comme une étreinte, et le rappel du phallus triomphant. Enfin, le soulagement de les retirer... Une autre gorgée de vin me fait le plus grand bien. Je suis prête. Je pose l'oreiller au centre du lit, le concombre dessus, je le couve de ma vulve comme une poule son œuf.

Je lui fais un charmant jeu de frotti-frotta. D'avant en arrière, à genou sur le lit à secréter sur ce végétal inerte, bien écartée, grande ouverte, je me prépare à te recevoir.

J'avais promis de ne pas ôter ma culotte mais je vais tricher un peu. D'une main je la pousse d'un côté de mes lèvres, de l'autre je glisse mon long ami vert aux frontières humides de ma toison dorée. *Tu aimes?* Je me tiens droite, sur mes genoux, le concombre debout vis-à-vis de ma chatte, et je descends, et je remonte, et je redescends un peu plus à chaque fois, pour faire entrer cet immense légume en moi. *Le vois-tu disparaître à mesure que je grimace de plaisir?*

J'en ai plus de la moitié à l'intérieur. Suivant mon instinct je sautille, je vacille. Mes yeux basculent, mes petits cris d'amour finiront bien par t'exciter.

Assez. C'est peut-être vivant mais ça ne suinte pas de plaisir comme un homme sait le faire. Je le retire, et comme je n'en ai plus besoin, je le lance à bout de bras, il va s'écraser sur le mur du salon. Je préfère que tu me prennes, sans artifice, sur le lit, que tu mènes tout, que tu t'abandonnes à tes pulsions en moi et qu'on recommence encore et encore.

Et quand ça commençait pour de vrai, c'était toujours assez silencieux au début. Puis, les respirations saccadées suivaient les petits cris, le bruit du sommier de métal qui grinçait à chaque coup de boutoir devenait de plus en plus persistant et le son sourd du lit qui frappait le mur s'avérait plus puissant. L'orgasme s'annonçait. J'espérais que le monde entier me voit en train de jouir, je souhaitais que les passants frissonnent d'envie à m'entendre hurler comme une louve en chaleur.

Je jouissais, ouverte et offerte, le clitoris tout frétillant et sorti de son antre, mes cuisses dégoulinantes et tremblotantes battant au rythme de mes gémissements.

Alors le bruit du lit frappant le mur s'arrêtait. Le sommier de métal se taisait. Le grincement du matelas cessait. Tout revenait comme avant. J'entendais de nouveau Bach en sourdine. Le rire des enfants qui jouaient dans la ruelle montait jusqu'à ma chambre. La voix de la *mama* qui les appelait pour souper retentissait. Et moi je revenais du septième ciel. Je me demandais comment, chaque fois, ce mâle réussissait à m'exalter jusqu'à la jouissance, souvent en moins de dix minutes, au lit.

Alors tout était fini jusqu'au lendemain. Le temps qu'il remette son pantalon et qu'il l'embrasse sur le front, la porte du 402 s'ouvrait et se refermait presque aussitôt. L'amant de la voisine passait dans le corridor juste devant chez moi.

Quelle chanceuse la voisine! Son homme lui fait l'amour fougueusement tous les soirs. Et moi, je sors ma main moite de ma culotte. Mais je suis déterminée à passer à l'action. En regardant mon concombre par terre, il me vient une idée. Demain, au son de ses pas, j'irai frapper à la porte de ma jolie voisine. Pour faire connaissance, j'apporterai une délicieuse salade de concombre, bien assaisonnée d'une vinaigrette de mon cru, crémeuse à souhait, un rien salé, à laquelle ni elle, ni lui, ne sauront résister.

Un baiser volé

*D*ans le merveilleux monde des affaires et du travail dans les tours à bureaux, s'il est une loi que tout homme en quête d'aventure galante doit connaître, c'est celle de savoir attendre. C'est vrai! Combien d'hommes trop pressés ont brûlé leurs ailes, ont subi un revers, faute de n'avoir pas su attendre le moment opportun. Combien se sont vu refuser l'accès de la porte du jardin secret, tout près du but, pour ne pas avoir patienté jusqu'à cet instant magique qui précède toute aventure.

Devant un *non* catégorique venant de la bouche de celle qu'il croyait conquise, trop souvent l'homme abandonne, pensant s'être trompé sur les intentions de la femme, et commet une erreur. L'erreur d'aller voir ailleurs, de recommencer sa danse du mâle en rut devant une autre belle et peut-être subir le même refus encore.

Car ce qu'il n'a pas compris, ce mâle blessé dans son amour-propre, auquel on refuse d'aduler la bitte en délire, c'est que le *non* cachait peut-être un *oui*, mais pour une autre fois.

Car le jour où son élan a été brusquement freiné était peut-être sous une mauvaise lune. La femme pouvait être empêchée de se livrer à ses bras. Son état physique ou moral la contraignait sans doute à se priver du plaisir qu'elle désirait autant que lui. Peut-être encore un engagement important la privait de la liberté de laisser voguer son esprit et son corps dans la lubricité de cette relation aboutissant enfin.

Enfin. Certaines fois après quelques minutes à peine, d'autres fois après des années passées à se côtoyer platoniquement. Du moins est-ce souvent ce que le mâle perçoit à tort. Les gestes les plus anodins qu'il interprète comme platoniques, peuvent en effet générer l'envie et la passion, pendant que les efforts les plus élaborés peuvent demeurer vains.

Car le mâle typique de la tour à bureaux ne connaît pas toujours la subtilité de ses propres atouts de charme et de séduction. Il croit sa virilité dépendante d'une Jeep Cherokee aux vitres teintées, d'une Volvo habillée de cuir ou d'une minoune *jackée* crachant du rock *distortionné*.

Il croit que la femme cédera à une caresse bien exécutée, un discours convaincant ou une compensation financière alléchante. Ou bien il suppose que son charme vient de son éloquence, de son apparence ou du prix qu'il a payé pour sa lotion après-rasage.

Comme il se trompe! Certaines craqueront pour un crâne dégarni surplombant un cou cravaté, penché le plus sérieuscment du monde sur la rédaction d'un important contrat, matin après matin. D'autres seront séduites par un rire franc et spontané, un craquement de doigts dans un moment de stress ou par celui qui ronge distraitement son cure-dent en sortant du restaurant.

Telle une femme, qui porte bien une robe seulement à partir de l'instant où elle oublie qu'elle la porte, un homme séduit quand il cesse d'essayer d'impressionner, quand son esprit est préoccupé par quelque autre passion, quand il ne voit pas les tentatives délibérées de séduction de la partenaire en puissance devant lui, qu'il n'a peut-être même pas encore remarquée.

Ainsi, parfois, deux êtres paraissant faits l'un pour l'autre peuvent-ils passer l'un près de l'autre sans se reconnaître.

Cher François,

Je te remercie pour ta lettre et te félicite pour tes succès éclatants à New York. Jamais je n'ai douté de ton talent. Toutefois, je suis bouleversée et désolée d'apprendre que tu te maries à l'automne. Tu me blesses profondément quand tu écris que je ne me suis jamais intéressée à toi. Au contraire! Pendant les quatre années que je t'ai côtoyé au bureau, j'aurais donné mon âme au diable pour une nuit d'amour avec toi.

Je le lis noir sur blanc, mais je ne peux pas croire que tu avais envie de moi, tout ce temps, sans rien m'avoir dit, sans m'avoir fait un signe, signe que j'attendais frénétiquement pour prendre une petite place dans ta vie et sauter à ton cou.

D'après ce que je comprends de ta lettre, malgré le fait que Linda n'était pour toi qu'une passade et une aide précieuse pour ta carrière, toi non plus, tu n'as pas vu mes avances, tu n'as pas

*saisi l'importance de l'attirance que
j'éprouvais pour toi. (Et le taxi?)*

*J'apprécie l'invitation pour la noce,
mais à la lecture de cette lettre, tu com-
prendras que je ne pourrai y assister.
La plaie est encore trop vive.*

Adieu,

Cœur brisé,

Jennifer

Linda était une femme d'affaires
vraiment sûre d'elle. Elle dirigeait une
agence de création publicitaire d'une
main de fer. À quarante ans, elle n'était
ni belle, ni laide, mais elle compensait
en investissant beaucoup de sous dans
son apparence. Bijoux de designers, vêtements de femme de carrière, coiffure
et teinture, parfums coûteux et le reste.
Elle prenait grand soin d'entretenir sa
personne et semblait plutôt mal accepter de voir son corps vieillir. Elle consi-
dérait toutes les autres femmes comme
des rivales éventuelles et, dès qu'elles
semblaient détenir un attrait particulier
aux yeux des hommes, surtout quand
elles étaient jeunes et jolies, Linda voulait les éliminer de sa vie, ou tout au
moins les rendre vulnérables et indési-
rables aux yeux de son amant.

Car c'était là toute l'affaire. Linda avait un amant, François, un homme de quarante ans qui en paraissait trente-trois, beau, séduisant, et affable. Toujours vêtu de noir, col roulé et cuir, ses longs cheveux chatouillant ses épaules. Il était un faiseur d'images, réalisateur de films publicitaires. Il avait gardé un côté rebelle, éternellement jeune, quelque chose d'attirant et d'intrigant à la fois, et il plaisait beaucoup aux femmes.

Je travaillais pour l'agence de Linda depuis quelques mois lorsque j'eus l'intuition d'une idylle secrète entre Linda et François.

Un lundi matin, très tôt, je devais remettre un dossier de presse urgent à François avant qu'il ne rencontre un client pour le petit déjeuner. Comme nous habitions tous deux le Plateau Mont-Royal, je passai chez lui. Il avait oublié ma venue et paraissait mal à l'aise. Il se confondait en excuses de ne pas me laisser entrer. J'étais un peu déçue. Il était si gentil, d'habitude.

J'avais espéré secrètement qu'il m'invite à prendre un café au lait en sa compagnie. J'aurais alors visité son intimité et fureté en douce dans sa chambre pour respirer les parfums de ses draps, pour voir s'il laissait traîner ses chaussettes, ses chemises, et autres petites choses, tout ça pour mieux fantasmer sur lui par la suite.

Disons qu'il avait beaucoup de charme et que j'appréciais bien ses visites éclair à mon bureau. On parlait de tout et de rien, il posait beaucoup de questions sur ma vie, ses yeux se perdaient dans mon corsage et je rougissais juste à l'idée qu'il me désirait peut-être juste un peu. Je pensais souvent à lui le soir et lui laissais une place de choix dans mes sessions d'autoérotisme.

Devant son manque d'hospitalité, je l'assurai que de toute façon, j'étais pressée. Je redescendis en vitesse et ne manquai pas de remarquer la voiture de Linda devant la maison. Aucun doute, c'était bien sa voiture. François était à la fenêtre et je fis mine de ne rien remarquer. C'était donc ça... Elle était encore là et je ne devais pas les voir ensemble. Le secret les excitait sans doute.

Quelques jours plus tard, un important client avait organisé un 5 à 7 pour lancer la campagne publicitaire conçue par notre équipe. Je faisais partie de l'organisation et François était la vedette de la soirée. La présentation avait été un succès et tout s'était déroulé comme prévu. C'était l'heure de partir, toute notre équipe était crevée mais satisfaite. Je le regardai partir. Qu'il avait un beau cul ce mec ! Je ne lui aurais pas fait de mal à ce gars-là. J'aurais bien aimé me retrouver seule avec lui, mais Linda veillait au grain.

Oh! Il avait oublié son porte-documents à la table. La belle excuse. Je courai derrière lui et le rejoignis lorsqu'il s'engouffra dans un taxi. Il était content de me voir et me tira le bras pour que je m'assois à ses côtés. Il offrit de me reconduire. Cela tombait bien... Le chauffeur fumait une Gitane, écoutait une émission de sport à tue-tête et ne s'occupait pas de nous. On a parlé un peu de la soirée, puis, quelques feux de circulation avant d'arriver, il s'est retourné et m'a embrassée à pleine bouche. Un baiser fougueux, enflammé, volé, m'inondant de salive, comme un matou marquant son territoire.

Je me souviens de ce baiser volé sur la banquette arrière d'un taxi. Il avait passé sa main sous ma jupe, relevant l'élastique de ma culotte, et glissé son doigt dans ma fente dégoulinante. Il tournait sa langue autour de la mienne, faisant pénétrer son doigt plus profondément dans ma chatte, l'assoupissant de discrètes secousses. C'était une osmose comme il m'avait peu été donné d'en vivre.

Alors j'avais osé l'imiter, avec ma main, remontant sur sa cuisse, puis un peu plus haut, pour toucher la peau velue de son ventre et le pli de son nombril. Ma main cascadeuse s'est faufilée dans son pantalon, frôlant son sexe. Sa respiration tressautait, j'ai senti qu'il était prêt pour moi, dur comme une branche de chêne, doux comme l'eau qui dort, brûlant comme le soleil du désert.

Le taxi s'était arrêté. Le baiser était terminé. Sa main était partie. Il m'avait souri. J'étais descendue. Je ne sais pas comment, en fait, car j'avais peine à marcher, je titubais, j'étais au bord de l'évanouissement. Ce fichu François m'avait allumée au point où j'en avais des visions. Des visions innocentes mais qui devenaient torrides le temps d'y goûter un peu.

Il m'emmenait en voiture à sa maison de campagne. BMW de l'année, la manette de vitesses bien manipulée par son hôte, radio, confort et plein soleil sur Val-des-Bois.

Il restait un peu de neige malgré ce début avril. C'était le temps des sucres. Je portais un long manteau de cuir sur

une robe décolletée, et un foulard. Tout
au long du voyage, on discutait, on faisait connaissance, on meublait le silence. J'étais contente d'être là, avec
lui. Ses yeux bleus, ses cheveux châ-
tains et gris décoiffés, sa façon si masculine de tenir le volant et son parfum
Calvin Klein mêlé à son odeur de cuir.
Il était presque un peu *bum* et il n'y
avait rien à faire pour couvrir la puissance des phéromones.

En descendant de voiture, mon pied
buta contre une branche sur le chemin
et je m'agrippai à lui par son foulard et
sa veste. Je le regardai dans les yeux
mais le soleil m'aveugla et je les fermai. Je sentis ses lèvres sur les miennes
puis il recula. Il prit mes mains, me regarda de bas en haut.

– *Tu es belle.*

– *Embrasse-moi. Prends-moi.*

Il me tira vers lui et me serra fort
dans ses bras. Il prit enfin ma bouche et
caressa mes cheveux de ses longs
doigts d'artiste. Je m'écroulai avec lui
dans la neige. J'étais gelée et allumée
en même temps, prête à tout.

- *Dis-le-moi si tu as trop froid.*

Il remonta ma robe sous mes fesses
et enleva délicatement ma culotte. Il
ouvrit mes genoux tremblants, détacha

son pantalon et me présenta son grand canon. Un gland superbe, gigantesque. Il se pencha sur moi, envoyant son souffle chaud dans mon cou. Je sentis son gland s'enfoncer dans ma chatte excitée.

– *Oh! Prends-moi François, prends-moi vite!*

– *Je ne peux plus arrêter, maintenant, Jenni. Je te goûte, je te...*

– *Ahhh.*

Nous avons fait l'amour tout habillés, sur la neige, près de la BM stationnée.

– *Je jouis déjà, François, n'arrête pas, pas tout de suite.*

– *Oui, oui, oui, prends mon philtre d'amour...*

Il jouit bruyamment, les deux mains dans la neige, son dard bien enfoncé dans mon jardin épanoui.

Il me releva comme un gentleman, mes cheveux étaient couverts de glaçons, mais je n'avais pas froid. Il m'invita à l'intérieur, pour que nous passions une belle soirée ensemble à faire l'amour, à boire, à rire, à parler, à faire l'amour encore et à déjeuner à deux.

La suite était des plus romantiques. Les étincelles crépitaient dans le foyer et le soleil plombait sur nos visages par la fente du rideau entrouvert. Le reste de nos corps dans l'ombre, nos pieds froids qui se chamaillaient sous la couette et sa queue dure et expérimentée qui se réveille et explore mon château fort, me chantant un poème bien lubrifié et convaincant. Il fait l'amour comme un as, d'un rythme langoureux. Alors je jouis qu'il me possède, je jouis d'être à lui, qu'il m'aime et qu'il déverse en moi le fruit juteux de cet accouplement. Il est cinq heures, on se rhabille. Et la vision innocente se termine ici, après avoir joui ensemble d'exister.

Avant qu'il ne parte s'installer à New York, quand il passait devant moi, dans le bureau, dans la vraie vie, je lui lançais un bonjour nonchalant, on discutait de la pluie et du beau temps. S'il avait su. Si j'avais su. Mais ce n'était qu'une vision mouillée, née de mon désir ardent, de mon imagination de femme inassouvie, après le baiser volé du taxi.

Et ce matin, cette lettre de François qui m'arrive comme la fin d'un rêve. Comme la vie est cruelle.

Claude

J'avais toujours pensé que Claude éprouvait de l'attirance pour moi. Chaque fois que nous nous retrouvions au même endroit, soit chez des amis, au bar, ou à un show, je sentais bien dans son regard un petit quelque chose de plus que de la camaraderie. Chaque fois que l'occasion se présentait, son bras entourait amicalement mes épaules et on se racontait beaucoup de choses.

Claude était le genre de personne qui attirait les confidences. Toujours disponible, toujours à l'écoute, et surtout, c'était la discrétion incarnée. Claude savait presque tout de mon jardin secret. Ce que j'aimais qu'on me fasse, les erreurs que mes ex-amants avaient commises, les cadeaux que

j'avais préférés, les sorties qui
m'avaient le plus excitée. Les meilleu-
res cartes de la séduction étaient donc
dans son jeu.

Ce soir-là, on se retrouva entre amis
chez Jacques Maxwell pour prendre un
verre et discuter de la vie, comme on le
faisait souvent les vendredis soirs. Jacques appréciait la compagnie et savait
recevoir. Son frigo regorgeait de bière
fraîche, quelques bouteilles de rouge et
de Jack Daniels traînaient sur le comptoir, un nuage de tabac et de haschisch
nous enveloppait pendant que nos dis-
cussions animées et nos rires s'éle-
vaient dans la pièce.

Il n'était pas rare que nous restions
chez Jacques jusqu'à une heure du
mat', après quoi les plus braves conti-
nuaient la galère dans les bars du Plateau Mont-Royal et les plus fatigués
rentraient au bercail. Une bande se for-
mait dans la cuisine autour des bouteilles et une autre, plus calme,
s'évachait sur le futon et les coussins
colorés qui jonchaient le sol du salon.

N'ayant envie ni de sortir, ni de rentrer, je restais assise pendant que mes
amis se préparaient à partir. Les uns se
donnaient un coup de peigne et s'ar-
maient de leur veste de cuir, les autres

se poudraient le nez ou se mettaient du rouge à lèvres, et les plus pressés descendaient déjà l'escalier.

Quoique particulièrement en beauté, j'avais le vague à l'âme. Mon homme se trouvait chez sa mère dans Charlevoix jusqu'à dimanche, pour l'enterrement de sa grand-mère et je me sentais seule. Claude avait sans doute saisi mon état d'esprit et vint s'asseoir à mon côté en me tendant un verre de vin rouge. Tout le monde était parti, même Jacques, qui nous cria en dévalant l'escalier quatre à quatre de verrouiller la porte en sortant.

Les circonstances étaient favorables. Nous étions ensemble dans la pénombre de cet appartement et je ne présentai aucune résistance. Je sirotais mon verre sans mot dire, le regard dans le vide. Claude non plus ne parlait pas. Les paroles auraient été superflues. Je retirai mes Doc Martens et ma veste sans bouger du futon. Claude se leva pour mettre de la musique. Son choix se porta sur le Boléro de Ravel. Un message, pensai-je.

Suivant les premières notes de ce classique crescendo, Claude se décida enfin, après toutes ces années d'une platonique amitié, à m'offrir autre chose qu'une oreille attentive et de la compassion.

Pour m'exciter, Claude se déshabilla, délicieusement et lentement devant moi, et me suggéra de me toucher pour mieux jouir de la scène. Pourquoi pas ! Je ne pouvais résister à une telle proposition.

Ses vêtements s'étalaient tout près de moi, je pouvais humer les parfums de son corps, sa sueur se perdre dans les vapeurs de l'alcool. Je suçai mon index et mon majeur, que je glissai dans ma culotte. J'ouvris mes jambes sans cesser de regarder ce corps mince et excité s'exhiber devant moi. Et puis j'ai craqué. J'ai dit *viens, viens me prendre... je n'en peux plus de t'attendre.*

Les minutes qui suivirent furent une suite de mouvements langoureux et pénétrants. Notre rythme suivait celui de Ravel et Claude avait changé cette soirée ordinaire en un plaisir de la vie. Grisée par le vin et le haschisch, comblée par la musique, protégée par la semi-obscurité, je me trouvai séduite et abandonnée à Claude. Nous fîmes l'amour plus longtemps que le Boléro. J'étais molle et je me laissais aller, sans prendre les devants, que je laissais à

Claude qui semblait s'en donner à cœur joie.

Sa langue excitée explorait mes seins, ses doigts se promenaient sur moi comme des torches brûlantes. Ses mains habiles poussaient avec vigueur l'intérieur de mes cuisses, pour les ouvrir jusqu'à ce que j'en tremble, pendant que sa bouche grande ouverte explorait ma chatte, qui lui était offerte, sans aucune restriction. Soupirs de plaisir, respiration haletante, regard brillant et absent à la fois accompagnaient nos ébats.

Je me suis dressée sur les genoux, ai appuyé mes mains au sol tout près de ses épaules, et je suis devenue tigresse, caressant mes seins sur sa poitrine et frôlant son visage. Sa langue inassouvie cherchait à attraper mes mamelons au passage. J'ai posé ma chatte sur son visage, pour mieux l'immerger de mes liquides d'amour.

Comme sa langue avait trouvé le chemin jusqu'à mon clitoris engourdi, son doigt glissa dans mon anus à m'en faire trembler les parois. Je chevauchais Claude avec toute la légèreté dont j'étais capable. Je mouillai mes doigts pour mieux caresser le bout de mes mamelles électrisées.

Je jouis une première fois comme
ça, à genoux, la tête renversée, puis me
laissai redescendre, doucement, appuyant ma tête sur le ventre dur de
Claude. Nous nous sommes permis
d'autres folies, tournoyant sur le tapis
du salon, nous immobilisant finalement, moi en dessous. Je me trouvai
submergée, accrochant mes genoux à
ses hanches, nos salives entremêlées.
Nous poussions des éclats de voix
étouffés, nos corps se fusionnaient, l'un
dans l'autre, jusqu'à ce que nous jouis-
sions en même temps, wow!

Tout de suite après, Claude s'allu-
ma une cigarette. En me rhabillant, je
réfléchissais à ce qui venait de se passer
et je n'en revenais pas. Cela gâterait-il
notre amitié? Les choses seraient-elles
différentes à présent? Je m'étais amu-
sée mais j'étais convaincue que ça ne se
reproduirait pas.

Je remis mes Doc Martens et ma
veste et suivis Claude dans l'escalier.
Claude m'invite à dormir chez elle,
mais je n'en ai pas envie. *Claude, mon
amie, tu es gentille!,* lui répondis-je,
*mais ce soir, je vais me coucher seule
dans mon petit lit douillet.*

Joyeux anniversaire, Jean-Pierre!

La nuit s'annonçait torride. Je me retrouvais seule avec Jean-Pierre. Pour fêter son anniversaire, nous avions reçu Luc et Sylvie à dîner. Comme chaque fois qu'on avait de la visite, ses sens s'éveillaient.

Depuis le pas de la porte, je saluais nos invités qui partaient. À peine s'éloignèrent-ils en voiture qu'il m'enlaça par derrière. Nous étions dans l'embrasure de la porte, qui laissait s'échapper un nuage de fumée blanche, produit des dizaines de cigarettes que Jean-Pierre et nos deux invités avaient dû griller pendant la soirée.

Jean-Pierre n'avait pas cessé de complimenter notre amie sur sa toilette, son sourire, son humour. Il n'avait d'attention que pour elle ce soir, lui offrant cigarette sur cigarette, s'agenouillant devant elle pour les lui allumer, en profitant au passage pour lui frôler la cuisse.

À un moment donné, il était même allé la rejoindre aux toilettes. Luc et moi avons continué de discuter à la cuisine comme si de rien n'était, mais après les rires de Sylvie, le long silence fut sans équivoque.

Les mains baladeuses de Jean-Pierre exploraient certainement les courbes intimes de notre amie. Peut-être l'avait-t-il assise sur le comptoir de la salle de bain, lui écartant les jambes en la regardant dans les yeux. Peut-être avait-il osé baisser sa fermeture-éclair et brandir sa verge, et pousser de son gland impatient le tissu de la culotte de Sylvie aux frontières humides de sa fente.

Aussi me demandai-je s'il pensait à elle ou à moi quand il passa ses deux mains sous mon chemisier pour me saisir les seins.

Je fermai les yeux pour mieux chasser ces sottes pensées. Il ouvrit ses

doigts en étoile, faisant passer mon mamelon réveillé entre chaque doigt. Il me
mordilla la nuque. Il déboutonna ma
blouse et la fit glisser par terre.

J'offrais ma poitrine dénudée à la
brise du soir et en frissonnai de plaisir.
J'ouvris les yeux au son des pas de ce
couple de voisins qui passa devant la
maison pour leur marche du soir. Ils ne
remarquèrent rien et passèrent leur chemin. Cela nous amusa.

Jean-Pierre dénoua ma jupe qui
glissa jusqu'à mes chevilles. Il fit descendre doucement ses longs doigts dans
ma culotte et caressa mes poils sans s'y
attarder. Il baissa mon sous-vêtement,
tout en m'embrassant la taille et le ventre, m'égratignant la peau de son menton mal rasé.

J'exposais maintenant mon corps nu
au clair de lune. L'air frais qui caressait
ma peau m'excitait. Aussi, quand il
glissa son doigt d'arrière en avant dans
ma vulve, le jus de mon désir coula sur
sa main. Je pliai les genoux, pour sentir
son doigt plus profondément en moi,
me relevai légèrement, puis recommen-
çai.

Jean-Pierre me laissait le guider,
m'en donnant toujours un peu moins
que ce que je demandais. Le jeu dura

bien quelques minutes. Je pliais les genoux, puis me relevais, symétrique, sur la marche qui séparait la maison du balcon, les fesses en dedans, les seins audehors, mes mains appuyées de chaque côté du cadre de porte. Je me sentais comme une femme indigène initiée à la magie par le sorcier du village, apprenant à offrir ses joyaux à l'homme et à la nuit.

J'entendis de nouveau des pas se rapprocher et je jouis, secouant mes mamelles dans le vent, me mordillant les lèvres pour retenir mon cri d'amour.

Jean-Pierre me tira vers lui et ferma la porte, juste au moment où les gens passaient. Je sentais mes joues rougir et Jean-Pierre durcir. Il me prit la main, m'amena dans la chambre. Jusqu'au lever du soleil, nos liquides et nos âmes valsèrent. Il promenait sa bouche de mon épaule à ma chatte, effleurant, frôlant, suivant les courbes sans jamais m'en donner assez. J'étais son petit animal, sa poupée vivante.

Quand il me présenta un coquin vibrateur, je fus fort intriguée, et prête à tout essayer avec mon amoureux fou. Il voulait expérimenter de nouvelles positions et s'était procuré ce mignon jouet. Il se plaça par-dessus moi, dans la position du 69 que je connaissais bien, dirigeant sa verge luisante dans ma bouche.

Et plutôt que de manger ma chatte, il se mit à pilonner son jouet dans ma fente. Et il me parlait, m'appelant sa déesse de l'amour, me disant combien il aimait sa nuit, me suppliant de ne pas me fâcher, m'avouant avoir essayé son joujou avec Sylvie ce soir. Bien que ne sachant pas auquel des deux joujoux il faisait allusion, j'étais déjà, une fois de plus, au bord de la jouissance.

Cette fausse queue qui me bottait les entrailles sans jamais se fatiguer, cette autre, chaude et mouillée, qui tendrement m'emplissait les joues, me comblaient. Je ne pus jouir cependant, puisque Jean-Pierre retira sa queue de ma bouche sans attendre, en même temps qu'il fit cesser le vrombissement dans mon ventre.

Et tous ces jeux me rendaient folle d'envie que ça ne finisse jamais. J'étais exténuée, mais j'avais une fois de plus franchi le point de non-retour. J'aurais fait n'importe quoi pour sentir son gland, le vrai, pousser la porte de mon royaume.

Et cette queue, toute la nuit je l'attendis. Je n'eus le loisir de l'avoir en mon antre qu'une seule fois, au lever du jour. Il sut me rendre esclave de désir avant de viser mon joyau de son dard.

Une série de petits coups, puis quelques longs coups, suffirent à me propulser. Je sentis son gland dodu me chatouiller l'intérieur et son sperme se répandre en moi par soubresauts. Je vis mille couleurs, passer devant mes yeux fermés à la vitesse de la lumière. Jean-Pierre hurla de bonheur, trembla de tout son être, lâchant enfin prise à ce plaisir délicieux, qu'il avait toute la nuit retenu.

Il se laissa retomber sur le dos, complètement libéré et rassasié, et s'endormit comme un bébé. Avant de le rejoindre dans les bras de Morphée, je nous recouvris d'un drap, et revis notre nuit blanche. Ce fut une nuit de prouesses et d'action, époustouflante. Peu m'importe à qui il pensait en jouissant, finalement. Je n'allais quand même pas me priver de ce précieux plaisir, pour une histoire de jalousie sans importance, et gâcher son 86e anniversaire.

L'amour animal

*D*is-moi, chéri, comment trouves-tu mon galbe?

Demanda la rousse et sulfureuse Nina, se pavanant devant lui, exhibant ses charmes. Un minuscule soutien-gorge de satin à motif léopard recouvrait à peine les mamelons et laissait deviner de mignons seins fermes et dodus. La culotte assortie, lui pénétrant profondément dans la fente, d'avant en arrière, ne laissait aucune place à l'imagination. Ses semblants de bourrelets débordaient légèrement sur les côtés. Elle portait un anneau d'argent au nombril et deux autres, plus fins, à la narine droite. Comme elle voulait que ses mollets paraissent bien tendus, elle avait gardé ses souliers plates-formes.

– Tu es... surprenante, ensorcelante,
ma tigresse d'amour, tu me rends fou,
dingue, ivre de toi, ma rousse!

Il s'approcha pour l'embrasser mais
elle recula, se tâtant les seins du bout
des doigts d'un air espiègle.

– Attends, attends! C'est tellement
meilleur quand on attend un peu, avant
de goûter le fruit défendu.

Mais il était beaucoup trop pressé
pour attendre, aussi s'élança-t-il sur sa
bien-aimée, lui dégrafant le soutien-
gorge d'un mouvement habile, saisis-
sant un sein de sa bouche grande
ouverte, qu'il se mit à sucer goulûment.
Elle rejeta la tête vers l'arrière et releva
le chandail de son partenaire jusqu'au
cou. De ses longs ongles, elle lui griffa
doucement le dos en remontant des
reins vers les épaules. Il lâcha alors son
fruit mur pour s'emparer de sa bouche
pulpeuse. Ils s'embrassèrent fougueusement, à demi-nus.

Il baissa son pantalon jusqu'aux genoux et elle enleva sa petite culotte,
qu'elle lança négligemment par terre.
Sans précaution aucune, il la pénétra
furieusement. Ils firent l'amour à la
verticale. Leur étreinte les fit tituber,
puis s'écrouler sur le sol. Elle prit rapidement le dessus, accroupie sur lui,

l'immergeant de ses sucs, et dirigea bien sa grosse queue joufflue entre ses lèvres, jusqu'au fond de ses entrailles. Elle devint comme une bête sauvage, agressive et bruyante. *Grrrrr...* Elle contrôlait le mouvement du coït telle une amazone ou une mante religieuse, prête à dévorer son mâle après en avoir récolté la précieuse semence.

Mais au contraire, dès qu'elle sentit monter en elle un élan de plaisir, elle rejeta de nouveau sa tête vers l'arrière, donna quelques coups de bassin en secouant les seins avec vigueur, puis redevint calme et docile comme une brebis.

Il la saisit alors par les hanches et la retourna, face contre sol. Elle leva les fesses et se prosterna, telle une païenne en adoration. Il la pénétra par derrière. Il tirait son petit cul vers lui, puis il jouit bruyamment, la faisant avancer de quelques centimètres à chaque coup de boutoir.

Quand ce fut terminé, ils ramassèrent leurs vêtements épars. Le spectacle avait causé tout un émoi. Nina avait eu ce qu'elle voulait, mais devrait peut-être bientôt en payer le prix. Les agents de la paix se frayaient un chemin parmi la foule médusée. Les amoureux avaient fait leur numéro au centre d'un îlot gazonné, séparant deux voies achalandées et un viaduc de l'autoroute Bonaventure.

Des conducteurs voyeurs avaient garé leur voiture sur l'accotement, pour mieux jouir de la scène. L'un se masturbait, les yeux ronds comme des billes, les autres rigolaient, sifflaient ou vociféraient des obscénités. La plupart des voitures étaient forcées de réduire considérablement leur vitesse, les autres s'arrêtaient carrément. Les gens les plus choqués, les plus scandalisés, plutôt que de continuer leur chemin en bons chrétiens, s'arrêtaient et s'indignaient sans sortir de leur voiture. En vérité, il était presque miraculeux qu'aucun accident de la route ne soit survenu.

Faire l'amour en public les excitait au plus haut point et ils avaient, une fois de plus, réussi leur coup. Ils eurent même le temps de se rhabiller et de disparaître avant que les policiers n'arrivent sur les lieux.

Le sergent Pilotte se mit à faire circuler les curieux et ordonna à son collègue de retourner à la voiture pour compléter son rapport. Il en avait vu d'autres et cet épisode l'excita plus qu'il ne l'irrita. Il ne savait pas si c'était la vague odeur de sexe mélangée à celle de l'essence flottant dans l'air qui l'excitait ainsi ou bien le fait que c'était la troisième fois que ce couple d'amoureux exhibitionnistes lui échappait, disparaissant avant qu'il ait pu se rendre sur les lieux du crime, mais il avait une bombe dans son slip et il avait hâte de finir son *shift* pour retrouver Pamela.

Pamela, c'était celle qui partageait ses nuits, depuis que sa femme l'avait quitté. Comble de malheur, elle était partie avec un bandit, un moins que rien, un vulgaire *pusher* de rue. Le policier, malgré ses six pieds deux pouces, ses muscles et toute sa bonne volonté, n'avait pas su la garder.

Ce que l'on voit *is not always what you get!* Sergent Pilotte avait beau être de très belle apparence, être le meilleur policier du district, le plus avenant envers les citoyens, le plus honnête, cela ne voulait rien dire. Du moins, pas pour Pamela. Parfois, il pouvait, par son indifférence, être une brute.

Ce soir-là, après avoir discrètement ramassé puis glissé dans sa poche la petite culotte humide à motif léopard, il mit à maintes reprises la main dans sa poche pour serrer le bout de satin, le frottant nerveusement entre ses doigts avant de porter sa main à son nez. Il se délectait d'avance de la baise qu'il réservait à Pamela. À minuit, une fois le travail terminé, il n'accompagna pas ses confrères qui allaient prendre un café, mais se dirigea directement vers son logement de la rue Garnier.

Il entra silencieusement, rangea son arme pour la nuit et se prépara à aller se coucher. Il avait bossé toute la soirée, il empestait la sueur. Il rotait et pétait tout en se déshabillant, et alla pisser avant de s'occuper d'elle.

C'était pour lui comme un rituel. Toujours pareil. Toujours dans le même ordre. Il avait ses manies. Il insistait pour que ça se passe au lit. Il baissait les stores et verrouillait la porte. Il s'envoyait un bon coup de sildenafil[1] en vaporisateur nasal.

Après il respirait très profondément. Il achevait de se déshabiller, prenant le temps de plier ses vêtements sur le valet de nuit. Il faisait tous ces gestes comme machinalement, sans la regarder. Il éteignait la lumière, et enfin nu comme un ver, se dirigeait vers elle.

_____
1.   Viagra

Il s'étendait sur elle de tout son poids, insérait son sexe en elle, et entamait une série de mouvements rapides et saccadés. Il avait gardé la culotte léopard qu'il humait, tout en baisant. Il piochait l'antre de Pamela sans jamais en faire vibrer les cordes sensibles. Et il pensait à d'autres femmes. Il pensait à cette jeune mère noire qu'il avait secourue la semaine dernière, qui s'était évanouie dans ses bras. Il avait aimé son odeur de mouton. Il pensait à celle qui l'avait quitté, puis chassait très vite son image pour ne pas débander. Il mordillait les mamelons de Pamela et pensait à la grosse boulangère qui avait d'énormes tétons sous son tablier blanc, et qui ne s'épilait pas les aisselles.

Puis il éjaculait, d'un orgasme fade, en noir et blanc, expirant les stress accumulés depuis la veille. *Bim-bam, Thank-you-Mam.* Le policier se retirait en soupirant. Puis, avant de se retourner pour ronfler jusqu'au lendemain, il rangeait Pamela dans son placard.

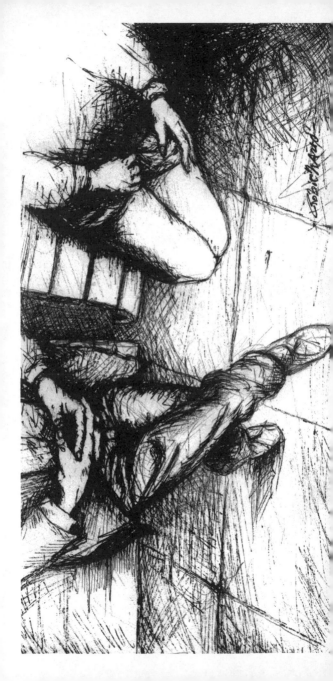

La femme de Bill

J'avais accepté à reculons cette invitation, non que l'idée d'une journée à la campagne soit pour me déplaire, mais bien parce que je me sentais peu d'atomes crochus avec nos hôtes : Raphaël Gauthier, un collègue de bureau de Bill, et sa femme, Violaine.

Bill avait tant insisté pour que je l'accompagne et il y tenait tellement, que j'avais fini par céder. Je ne savais pas quoi porter. Serait-ce un condo de ville à la campagne avec moquette blanche et bain tourbillon? En tout cas, nos hôtes, que je n'avais jamais rencontrés, n'étaient pas réputés être du genre granola, à pratiquer la promenade en chaloupe ou à aménager une maison en bois rond.

J'optai pour ma robe fuseau Gucci de toile rose translucide et le rouge à lèvres assorti. Les Nike multisports et les verres fumés me permettraient de me faufiler dans la nature au moment opportun. Avec les mamelons bien en vue, faute de m'amuser, je serais irrésistible.

Bill me vanta les talents de cuisinière de Violaine et m'assura que je ne m'ennuierais pas. Elle avait promis une super-bouffe italienne avec veau parmigiana, pennine à l'Arrabiata, Chianti, et tout le tralala.

À peine arrivés au chemin de terre battue menant chez nos hôtes, le moins qu'on puisse dire, c'est que j'étais... étonnée. Il y avait des dizaines de voitures garées de tous côtés, un gars qui dégueulait dans un buisson à gauche, en ayant pris soin de remonter sa cravate sur son épaule.

– *Oh! Merde alors, c'est Raphaël qui vomit, là dans le buisson! On est chez lui aujourd'hui... ça promet. Tu veux qu'on arrête pour le saluer?*

– *Tu es insignifiant des fois. Essaie de trouver un parking, à la place.*

À droite, deux couples en grande conversation. Un peu plus loin, une rousse incendiaire, topless, à cheval sur une Harley Davidson stationnée, trois motards à ses côtés, en train de fumer des joints. Bill semblait la trouver à son goût.

– *Celle-là, elle ne manque pas d'attirer ton attention, hein, mon chéri?*

– *Je la connais, c'est Nina! Tu sais, l'ex-femme de notre ancien voisin, quand on habitait sur la rue Garnier.*

– *Le policier, là, heu, Pilotte?*

– *Oui, c'est ça, Pilotte, Sergent Pilotte.*

– *Ce pétard-là, c'est Nina? Elle a changé, ça lui va bien, ses cheveux longs.*

– *Je dirais plutôt que ce sont ses seins à l'air qui lui vont bien...*

– *Je te dis qu'elle a l'air de se faire aller depuis qu'elle l'a quitté, hein?*

– *Quant à moi, elle était trop belle pour lui. Regarde ce que ça a donné.*

– *Ça fait déjà trois ans qu'elle est partie, elle a bien dû refaire sa vie.*

– *Surtout si elle se promène souvent dans cette tenue, elle n'a pas dû rester seule longtemps...*

Elle rebondissait sur le siège de cuir noir, ses petits tétons roses rebondissant avec elle. Elle semblait y prendre un réel plaisir. Ses camarades s'occuperaient probablement d'elle tout à l'heure.

La façade de la maison m'apparut comme dans un songe. Elle était adorable, toute de pierres des champs vêtue, avec ses volets bleus entourant ses fenêtres à carreaux. Et ses chaleureux balcons, tout autour, remplis de gens, riant et discutant. Le DJ était installé à l'extérieur et les boîtes de son vrombissaient du techno.

Et moi qui croyais qu'on serait les seuls invités! Erreur! À bien y penser, Bill n'avait jamais mentionné la présence ou l'absence d'autres convives et il me trouvait une drôle de tête.

L'après-midi fut fort intéressant. Je rencontrai quelques beaux mâles en rut et leurs amies. L'ambiance était à la fête. Un jeune anglais boutonneux nommé Stanley, me fit des avances pas très subtiles, en me tâtant les fesses et en se touchant le pénis en même temps. Encore puceau, sans doute! Il disait travailler dans un cinéma. Il faisait des clins d'œil et me pinça même un mamelon. Quel enculé! Je repoussai sa paluche et lui suggérai d'aller se faire voir chez les Grecs. Il était tellement saoul qu'il ne le prit pas personnel!

Toutes les pièces du chalet étaient occupées et ça ressemblait de plus en plus à une mini-partouze. Bill et moi, nous nous lancions quelques regards complices entre deux conversations. Puis, après quelques verres, il m'appela à travers la foule :

– *Zoé, viens par ici, ma belle, tes vieilles copines de l'Université de Montréal sont ici!*

– *Pas vrai ! Mireille est ici?*

– *Oui, Mireille est là! Viens, je te dis, j'ai même vu Marilou dans la cuisine.*

Je me frayai un chemin à travers les invités. L'atmosphère était vraiment explosive.

– *Marilou!*

– *Zoé!*

Elle me tendit la joue et me serra les mains avec amitié.

– *Es-tu venue de Gaspé juste pour le party?*

– *Non, j'habite dans le coin, mainte-nant... Clovis et moi, c'est fini...*

– *Oh! Marilou, je suis désolée…*

Quelqu'un me banda les yeux de ses mains, par derrière, me bécotant le cou:

– *Salut Zoé... on n'appelle plus ses vieux copains?*

— Jacques Maxwell!

— Bingo!

Il me fit pivoter vers lui et m'embrassa, à grands coups de langue. Il goûtait le Jack Daniels et avait les yeux dans la graisse de bine, comme d'habitude.

— Tu vas bien à ce que je vois. Jolie robe... jolis mamelons!

— Tsst, tss, pas touche! Il paraît que Mireille est ici?

— Oui, là bas, sur la galerie, en train de frencher la fille, là...

— Comment ça? C'est elle qu'on voit de dos en train d'embrasser la Chinoise?

— Non, pas Chinoise, Vietnamienne. C'est Claude, une bonne amie. Elles ont dû prendre un verre de trop.

Tout le monde avait l'air de s'amuser. La musique était bonne, l'alcool coulait à flot. C'était l'abondance. De la bouffe, de l'amour.

Violaine était vraiment une hôtesse super. Du monde, il y en avait de tous les genres. Des *preps*, des *flyés*, des *straight*. Des jeunes, des vieux. Ses grands-parents *fittaient* presque dans le décor. Ils étaient venus avec un couple d'amis. Comme le vieux monsieur me trouvait à son goût, en bonne hôtesse,

Violaine eut la bonne idée de me présenter son grand-père.

– *Zoé, Zoé! Viens, je veux te présenter mon grand-père, Jean-Pierre Dubreuil, sa femme et leurs amis, Luc et Sylvie.*

– *Bonsoir.*

Son grand-père, très galant, me baisa la main.

– *Votre robe me plaît particulièrement.*

– *La maison ici appartenait à mon grand-père depuis plus de cinquante ans et il me l'a léguée en héritage. Sauf qu'il veut que j'en profite de son vivant alors il me l'a donnée tout de suite. On pend la crémaillère! C'est ça qu'on fête ce soir, Jean-Pierre voulait être ici pour voir ça!*

– *Oh, vous êtes généreux, Monsieur Dubreuil, et quelle belle maison!...*

– *Du moment que tout le monde s'amuse et que ma petite Violaine est heureuse...*

Les vieux fumaient comme des déchaînés, calés dans les sofas, et se tenaient la taille comme des amoureux adolescents. Ils étaient *cute*.

– *En tout cas, Zoé,* me dit Jean-Pierre, *si ton mari te laisse tomber, tu m'appelleras. Ha! ha!*

Je profitai de leur éclat de rire pour m'éclipser, côté véranda.

Le soir tombe rapidement à la campagne et l'air frais a vite fait de vous relaxer les méninges. Je m'installai dans le divan d'osier de la véranda. J'observais le coucher du soleil par la fenêtre panoramique quand Manuel, un beau spécimen de type sud-américain, musclé, quasi imberbe et au teint cuivré, s'approcha de moi avec son amie Caroline. Ils avaient beaucoup bu. Ils avaient encore soif... de moi.

– *Bonsoir, mademoiselle...*

– Zoé. Dis-je en lui tendant la main.

– *Voici mon amie Caroline. Caroline, voici Zoé.*

Elle passa sa main dans mes cheveux :

– *On regardait tes cheveux, Manuel et moi... et on se demandait, es-tu une vraie blonde?*

– *Jusqu'entre les jambes, ma chère!*

– *Montre-nous pour voir?*

On éclata tous les trois de rire.

– *Non, mais, je ne demanderais pas mieux que de passer ma main entre tes cuisses, moi, Zoé... Je suis sérieux.*

Agile comme une gazelle, d'un geste, il bondit par-dessus le sofa et vint s'asseoir tout près de moi, me tendant un grand verre glacé, couvert de gouttelettes, rempli de jus et de glaçons.

– *Qu'est-ce que c'est?*

– *Vodka-jus d'orange. Avec une cerise au fond du verre, quelque part...*

J'avalai une bonne gorgée et lui remis son verre. Manuel ne perdit pas de temps. Il saisit mon menton d'une main, tout en tenant son verre bien droit et sa cigarette de l'autre main, et m'embrassa.

Il avait des mouvements souples et semblait habité d'une grâce naturelle. Il posa sa bouche entrouverte en travers de mes lèvres et sortit sa langue. Caroline était restée debout derrière le sofa, elle jouait toujours dans mes cheveux, et dans ceux de Manuel aussi. Une main sur chaque tête elle se pencha, s'appuya les seins par-dessus le dossier, offrant sa chaude poitrine à nos joues. Manuel interrompit son baiser, se tourna vers son sein, y déposant un chaste bécot:

– *Sois patiente, Caroline, sois patiente. Tu as eu ta part, il me semble. Laisses-en un peu pour Zoé. Tu aimerais nous voir, Zoé et moi, en train de faire l'amour? Ou aimerais-tu mieux l'amour à trois? Qu'en dis-tu, Zoé?*

L'idée de faire l'amour à trois m'excitait. Je m'étirai en avançant la poitrine puis les regardai tous les deux, une étincelle dans les yeux. Question de me laisser désirer, je m'enfonçai au fond du divan sans mot dire et fermai les yeux.

Pour me convaincre d'accepter, Caroline me massait tendrement les épaules et Manuel me caressait la poitrine délicatement, tout en me parlant. Il taquinait ma peau, à travers la toile rose de ma robe, du bout des doigts, tournant tout autour de mon mamelon sans y toucher. Il passait très, très près, de plus en plus doucement, puis il descendait et remontait sa main entre mes seins, jusqu'à mon cou.

Je levai la tête pour mieux jouir de sa caresse et Caroline m'embrassa, sans ouvrir la bouche, qu'elle avait comme une poupée de porcelaine, en forme de cœur. Elle me bécotait de ses lèvres minces et roses. Manuel passa sa main sur ma cuisse, puis sous ma robe. Mon ventre et mon aine devinrent tout engourdis, d'un seul coup, et mon miel ruissela dans ma culotte.

– Si on montait à l'étage, suggéra Manuel.

Je le regardai dans les yeux puis les refermai.

– Zoé, je commence à te connaître. Je crois que ça veut dire oui. Venez, mes chéries, montons, avant qu'il ne reste plus de chambres!

Je suivis Manuel dans les escaliers. Depuis la cuisine, Mireille, souriante, m'envoya un regard complice en me levant son verre. Caroline me suivait, silencieuse, telle une ombre. Manuel était torse nu. Quel bel homme! Quel dos superbe... pas une once de graisse! J'avais envie de le flatter et d'embrasser les collines osseuses de sa colonne vertébrale. Il avait une allure rebelle qui *clashait* délicieusement avec son parfum Polo Ralph Lauren.

L'étage était magnifique. Une maison de campagne parfaite. Un boudoir carré avec une porte sur chaque mur. Et une immense fenêtre qui offrait une vue sur le lac. Je pris les jumelles sur le rebord de la fenêtre et fis un tour d'horizon. J'aperçus au loin la silhouette de deux amoureux qui s'embrassaient dans une barque. Manuel ouvrit la première porte. On entendit des bruits de chairs qui claquaient et des râlements. *Oups!*

Il y a déjà pas mal de monde, ici. Il fait noir et ça sent le cul...

Caroline et moi riions de ses folies. Pour rire de ce genre de niaiserie, il fallait que je commence à être pas mal paquetée. Et c'est moi qui tenais la vodka-jus d'orange.

Il ouvrit la deuxième porte. Semi-obscurité, une bordée d'air frais. Personne. Nous sommes entrés, puis avons refermé la porte sur les rythmes techno. Caroline et moi, nous nous sommes regardées quand il l'a verrouillée. Il s'est senti questionné:

– Mais oui, les filles, je veux faire ça à trois, avec vous deux parce que je vous aime, mais j'ai pas envie que le grand-père ait l'idée d'aller chasser le canard.

Il nous montra la collection d'armes accrochées au mur. Plusieurs carabines, certainement de grande valeur, avoisinaient un imposant panache d'orignal et un ancien cor de chasse en forme de corne.

Sur les autres murs, des centaines et des centaines de livres bien rangés, sur des rayons atteignant le plafond. Au centre, une grande table de bois rectangulaire, huilée et brillante.

– *Nous sommes dans la bibliothèque*, dit Manuel en m'enlaçant la taille. *Caroline*, ordonna-t-il sans la regarder, *tu pourrais nous faire la lecture... que dirais-tu du premier chapitre des* Illusions perdues *d'Honoré de Balzac?*

Il m'embrassa, semblant enfin oublier sa compagne. À ce moment-là je crois que rien n'aurait pu nous empêcher de vouloir copuler et nous reproduire de façon urgente. Nos bouches s'ouvrirent en même temps et sa main passa sous ma robe. J'avais les seins chauds et les mamelons dressés, et sous la pression de ses doigts, je sentis mes sucs intérieurs se propager en mon entrechatte.

Il me fit reculer doucement jusqu'à la table de lecture, puis me coucha sur le dos. Je remontai mes jambes en pliant mes genoux, et mes Nike me permettaient de contrôler mon bassin sans que mes pieds ne glissent.

J'étais complètement *high,* prête à tout. Caroline s'assit par terre, dos au mur, et remonta ses genoux, laissant entrevoir un mignon jardin, noir comme l'ébène et fort bien entretenu. Elle se mit à lire d'une voix expressive et sensuelle:

Chapitre un. Un duel de poètes. Et moi je vous dis qu'elle tourne! – L'impertinente affirmation! s'écria un jeune gentilhomme fort bien fait de sa personne, galamment vêtu d'un costume bleu azur, coiffé d'un large feutre orné d'une plume pareillement bleue...

– *C'est du Balzac, ça?* demanda Manuel.

– *Non, je n'en ai pas trouvé. C'est* Cyrano de Bergerac.

Le soleil mourant plombait encore sur nos visages par la fente du rideau entrouvert.

– *Baise-la, maintenant. Fais-le pour moi.*

– *Eh bien ce sera plutôt pour elle, et pour moi, si tu n'as pas d'objections. Peux-tu continuer la lecture, s'il te plaît?*

Il enleva son jean, qu'il laissa tomber près de Caroline. Il enleva ma culotte, frôlant ma fente consentante. Il approcha son visage et souffla dans ma raie, pour me voir frissonner. Il vint s'étendre sur moi, et sa queue dure finalement me toucha le mont de vénus. Lorsqu'il la dirigea de sa main pour la glisser plus bas entre mes lèvres, je sentis mon entrecuisse se couvrir encore de la rosée du plaisir.

Des bribes de la lecture de Caroline me parvenaient encore: ... *les personnes les plus distinguées par leurs lumières, qu'elles habitassent au faubourg Saint-Germain ou au Marais, qu'elles appartinssent à la robe ou à l'épée...*

C'est allé si vite... Lui sur moi, lui en moi, lui qui m'embrasse, sa poitrine pèse sur la mienne, je mouille, il pousse, je ne respire plus, je suis lui, lui explose en moi. Le jet chaud atteint la limite de mes profondeurs exaltées.

– *Ahhh non... je suis venu trop vite, je m'excuse, mais tu es irrésistible. Ce que je peux être nul, des fois.*

Caroline posa son livre. Elle se leva et se dirigea tout droit vers le mur orné des armes. Un frisson me secoua.

– *Qu'est-ce que tu vas faire?* demandai-je.

– *T'achever... achever ce qu'il a commencé.*

Elle souleva le cor de chasse de son crochet. L'instrument était bien poli.

– *OK Manuel, c'est à mon tour, maintenant. Assieds-toi là et fais-nous la lecture. Et n'ose surtout pas arrêter de lire sans ma permission.*

Elle posa ses lèvres en cœur sur le bec de l'instrument et souffla, laissant

sortir une fausse note timide et étouf-
fée, puis arrêta.

– *Tu peux commencer, Manuel: page 9,*
2e paragraphe.

– *...Avant que sur son corps la tombe*
soit fermée. Qu'Henriette sache un jour
comme elle fut aimée. On vit alors une
chose qui remplit de stupeur toutes les
personnes présentes...

Caroline me regardait droit dans les
yeux. Sa noire et longue chevelure la
faisait paraître si blanche. Je n'avais
pas bougé de la table. Pas même déplié
les genoux. Le sperme de Manuel coulait de mon sillon. Caroline y trempa
son index, comme dans le givrage d'un
gâteau, et se suça le doigt.

– *Miam, miam, miam, comme tu es*
bonne, ma petite blonde. Ferme les
yeux. Sens mon doigt ouvrir ta chatte.

J'obéis. Elle frottait son doigt
mouillé sur mon clitoris, comme pour
assouplir d'avantage mon ouverture.
Elle saisit le cor de chasse et posa son
embouchure inerte sur ma vulve, me
rappelant la froide sensation du spécu-
lum du gynécologue.

– *... Henriette lui aura donné quelque*
dégoût. C'est une enfant sournoise. Eh!
bien, elle saura qu'on ne s'insurge pas

contre l'autorité sacrée d'un père. Elle ira au couvent, vous dis-je.

Une fois le bec inséré, elle y alla centimètre par centimètre, ressortant légèrement l'instrument quand mon corps en ralentissait l'accès. Ce n'était plus froid. Juste dur et mouillé. Manuel ne lisait plus. Il posa le livre et vint m'embrasser.

Il m'embrassa la bouche, puis le cou, puis les seins. Ma robe était relevée jusqu'à ma gorge. Manuel suçait goulûment mon mamelon gauche, massant le droit. Caroline continuait son jeu pénétrant avec le cor, puis le ressortit délicatement et inséra en moi son majeur délié. Comme il était raffiné, son doigt, comparé à cet immense instrument à vent. Tout de suite elle toucha mon point G, le frotta généreusement jusqu'à ce que jouissance s'ensuive.

Je bouillonnais d'ardeur. Son doigt tournait, tournait, Manuel suçait et frottait. Une vague parcourut tout mon être, du centre vers les extrémités, comme un puissant courant électrique qui se dissipa aussitôt. Quelle débandade... toute une fête! Je me relevai et remis ma culotte. Manuel se tourna vers Caroline, lui saisit les poignets, la coucha sur la table à son tour, et la botta éner-

giquement. J'étais devenue spectatrice
et constatai à quel point certains couples demeurent impénétrables même
quand ils laissent volontairement de la
place aux autres. Je profitai de leur
étreinte pour replacer ma robe et mes
cheveux. Je ne voulais pas fausser compagnie à Bill plus longtemps.

– *Au revoir mes amis, adieu...*

Je ramassai le livre de Cyrano de
Bergerac et entre deux de leurs caresses, quittai la pièce en douce.

Je décidai de retrouver mon bien-
aimé afin de rentrer chez nous. J'avais
eu assez d'aventures pour ce soir. L'effet de l'alcool commençait à se dissi-
per. Je descendis, frayant discrètement
mon chemin parmi les invités, entourés
d'un épais nuage de fumée, et marchai
vers la voiture.

Je soupirai devant le spectacle
qu'offraient deux amants d'un soir, l'un
dans l'autre, sous un arbre au clair de
lune. C'était *hot,* ici ce soir et ceux-là y
avaient trouvé leur compte. Vlan! et
revlan! Il lui enfilait sa queue dans la
chatte tel un marteau piqueur et elle
laissait échapper quelques cris d'extase.
Waou! Belle partie de jambes en l'air.
On aurait dit qu'ils n'avaient pas baisé
depuis une mèche! Quelle ardeur! Bill

ne perdait rien pour attendre. Après tous ces jeux de fesses avec des inconnus, j'avais bien l'intention de ne pas m'endormir en arrivant. Les amoureux de la nuit semblèrent jouir en même temps, hurlant comme deux loups, puis se relevèrent à mon passage.

Non! Cela ne pouvait être vrai. C'était Bill et Violaine, tout nus et pantois devant moi. C'était insupportable de voir mon Bill avec une autre fille. Je sentis une boule me monter dans la gorge. J'accélérai le pas jusqu'à la voiture, retenant mes sanglots.

– Attends, Zoé, attends! On ne faisait que s'amuser, là, ne te fâche pas!

Bill courait derrière moi, abandonnant Violaine toute nue dans le champ. J'esquissai un sourire et embrassai mon amour, me pendant à son cou.

– Oh, Bill! J'ai tant besoin de toi!

Nous avons quitté la fête comme cela, sans dire au revoir, sans goûter les pennine à l'arrabiata de Violaine, sans avoir pris le café.

Nous prîmes la route. J'avais les yeux fermés, je respirais l'air frais de la campagne par la fenêtre grande ouverte, la main de Bill posée sur ma cuisse entre deux changements de vitesse.

– *Tiens, tu as rapporté* Cyrano de Bergerac. *Veux-tu me faire la lecture, pendant que je conduis?*

En guise de réponse, je me penchai sur mon homme et ouvrit sa braguette, puis libérai son bâton ardent. Il sentait le sexe encore frais. Je le léchai d'abord timidement, mais le goût sucré et les encouragements de Bill eurent vite fait de me convaincre de redoubler d'ardeur.

J'obéis d'abord à un élan de sagesse. Je ne voulus pas qu'il perde la maîtrise de son volant.

– *Bill, range-toi sur le bord de la route un instant...*

À l'ombre
du grand chêne

Joe Papineau était fermier dans un rang de St-Armand. Sa femme, qu'il adorait, était morte en couches, le laissant élever seul ses deux filles. La nature avait pourvu sa progéniture de précieux attraits. L'aînée, Jeanne, était dotée d'une grâce, d'une douceur et d'une beauté naturelle remarquables. Magali avait à peine quinze ans et, déjà, tout dans ses traits révélait la femme fatale. Elle était douée d'une intelligence et d'un charme hors du commun mais, de caractère rebelle, elle cherchait constamment la provocation.

Plus rangée, Jeanne était fiancée à Ivan, un bel homme, châtain aux yeux bleus, étudiant aux Beaux-Arts. Elle espérait vivre avec lui son petit bonheur, le suivre dans son ascension artistique et lui faire quelques enfants. Le mariage était prévu dans six mois. Follement amoureux, ils vivaient déjà ensemble dans un loft, genre atelier d'artiste, à St-Jean-sur-le-Richelieu. La proximité de la ville permettrait à Ivan de terminer ses études et, l'été, il pourrait aider Joe à la ferme.

Ce soir de septembre, Joe se préparait à faire les foins et appela Ivan pour les jours à venir.

La première journée fut éreintante, mais glorifiante. Faire des ballots est difficile et le résultat était impressionnant.

– *C'est du bon boulot, mon gars. Reviens jeudi. Demain, je vais devoir faire réparer cette pièce de la faucheuse...*

– *Laissez, Joe, je m'en charge! Je vais en ville demain. Je vous la rapporterai demain soir en revenant.*

Ivan quitta la ferme au crépuscule. Sa voiture était garée en bordure de la route, à quelque trois cents mètres de la maison. Le sentier qui y menait était bordé de peupliers, d'ormes et d'arbustes sauvages, tandis qu'un énorme chêne impressionnait par sa prestance.

Il s'arrêta au pied de l'arbre. Son attention fut captée par une lumière provenant de la chambre de Magali. Le rideau n'avait pas encore été tiré pour la nuit. Son œil d'artiste ne manquait pas d'être attiré par toutes les sources d'inspiration, et celle-ci en était une de choix.

Devant cette vision de beauté pure et sauvage, comme hypnotisé, il fit un pas en arrière, hors du sentier, à l'abri du grand chêne, dans un talus voisin, et resta immobile, devant la fenêtre. Tapi dans l'obscurité, il ne risquait pas d'être vu. Il observa silencieusement la jeune fille se dévêtir. Elle était debout devant le miroir de sa table de toilette, et brossait ses cheveux sur son épaule. Elle déboutonna son chemisier, le retira, et le plia sur le dossier de sa commode. Elle dégrafa son soutien-gorge et l'enleva, le déposant avec son chemisier. Elle se regardait dans la glace, tournée de côté pour admirer son profil sous différents angles, en inspirant profondément pour gonfler le torse.

Comme elle ressemblait à sa sœur! Une poitrine généreuse, des rondeurs exquises, une taille coupée au couteau. Son intimité était délicieuse. Ivan sentit le désir monter en lui. Il ne voulait pas, mais c'était plus fort que lui. C'était viscéral. Pourtant, il devait se marier avec la sœur de cette fille. Son sentiment était qu'il n'avait pas le droit de la désirer. Mais en cet instant, devant cette fenêtre lui permettant d'admirer les charmes de la pucelle, il ne pouvait s'empêcher de la dévorer littéralement des yeux.

Elle détacha son jean et quand elle se pencha pour l'enlever, il vit ses seins pendre et s'imagina juste en dessous pour les recevoir. Il les aurait saisis, palpés, mangés, les aurait pris, un dans chaque main, et aurait embrassé Magali. Elle portait un sous-vêtement de coton blanc très échancré. Tout en se regardant dans la glace, elle fit glisser sa main dans sa culotte et ferma les yeux.

Il voulait s'enfuir, courir, tout oublier, mais il en était incapable. Voir cette vierge beauté si innocente et désirable lui faisait perdre tous ses moyens. Il posa sa main sur son pantalon pour replacer son sous-vêtement, que son érection rendait inconfortable.

Magali retira sa main de sa culotte sans cesser de toucher sa peau. Elle se frôla un sein du revers de la main, sans exercer aucune pression, puis une aisselle. Magali éteignit la lampe et Ivan ferma les yeux. Il quitta discrètement sa cachette et retourna chez lui.

À son arrivée, Jeanne sortait du bain. Drapée dans une grande serviette de ratine, elle lui sourit.

– *Bonsoir mon chéri.*

– *Bonsoir Jeanne.*

Elle s'approcha, pour l'embrasser.

– *Tes grands yeux bleus me disent que tu es préoccupé, ce soir, Ivan. Quelque affaire déplaisante à la ferme? Papa a-t-il été désagréable avec toi?*

– *Oh, non, tout va bien, t'inquiète...*

– *Viens, fais-moi la bise. Je suis toute fraîche et parfumée pour toi, mon chou.*

Elle posa sa main sur son pénis encore dur.

– *Oh! Mais, est-ce bien pour moi, cette belle chose que je touche là? C'est de me voir dans ce drap de bain qui te fait cet effet? Et si je le laisse tomber par terre, comme ceci, qu'en dis-tu?*

Voilà qui lui permettrait d'exalter ses ardeurs. Il enlaça sa fiancée dans ses grands bras musclés et la serra contre lui.

– *J'adore quand tu me prends dans tes bras, moi toute nue et toi habillé.*

Leur étreinte les amena au salon. Il lui saisit les seins, la caressant d'insistants coups de hanche, et la coucha sur le tapis. Il ouvrit sa braguette et sortit sa queue impatiente sans plus de préliminaires, frayant son chemin dans les poils encore mouillés. Il entra, dans cette fragile caverne qu'il connaissait bien.

– *Il y a longtemps que tu ne m'as pas prise dans le salon. Ah! Que c'est bon! Ahh… si fort, déjà!*

Il lui enfilait de longs coups de boutoir profonds et bien sentis. Il tirait puis poussait les hanches de sa partenaire avec énergie.

Jeanne devint toute raide et frétillante. Ses yeux fixes, égarés dans le nulle part, laissaient entrevoir sa jouissance prochaine et Ivan le savait. Il botta profondément en lui tenant les seins, et recouvrit la bouche entrouverte de ses lèvres suaves.

Une cascade au débit particulièrement généreux s'échappa de son sexe. Jeanne accueillait en elle un orage, une tempête s'évanouissant dans son ventre gourmand. Les vaisseaux de l'un traversaient les vaisseaux de l'autre. Jeanne cria, comme elle le faisait toujours quand elle jouissait.

— Je viens, je viens, je viens,   je viiiiiiens…

Ivan la caressait du jet de sa semence, et lui embrassait le cou et les épaules.

— J'adore quand tu me fais des câlins.

— Je t'aime, dit-il.

Mais il frissonna car, quand le jet était parti, il avait pensé à Magali.

Le lendemain, un souper familial comme tant d'autres terminait la journée à la ferme Papineau. Joe, assis seul à table, le visage dans l'assiette, avalait son ragoût, jetant un œil distrait sur le journal posé devant lui. Magali, appuyée dans le cadre de porte entre la cuisine et le salon, était occupée à se limer les ongles.

Aussi, quand Jeanne entra dans la maison en coup de vent, Joe et Magali levèrent-ils les yeux vers elle pour aussitôt retourner à leurs occupations.

— Coucou, papa, c'est moi! Je t'apporte des gâteaux à l'érable que j'ai cuisinés pour toi.

Elle posa les gâteaux sur la table, embrassa son père sur le front et s'approcha de sa sœur.

- Le soir tombe et tu n'es pas encore habillée... Toujours à moitié nue et décoiffée. Fais un effort, Magali.

Jeanne, contrairement à sa sœur, semblait accorder une certaine importance à son apparence. Elle portait une mini-jupe de gabardine beige, une blouse blanche à boutons de manchette et des bas collant de nylon brillant. Très parfumée, elle était couverte de bijoux.

Magali soupira et continua de soigner ses ongles. Après un long silence, elle s'adressa à sa sœur.

– Essaies-tu de nous faire croire que tu es venue juste pour porter des gâteaux à papa?

– Non. Tu as raison, Magali. Écoute. C'est vrai que j'ai quelque chose à te dire et je n'irai pas par quatre chemins.

– Quoi?

– J'aimerais que… Enfin, je veux dire. Pourrais-tu arrêter de jouer les allumeuses devant Ivan?

Magali la regarda d'un air hébété.

– Comment? Qu'est-ce que tu veux dire?

– On dirait que tu fais exprès pour essayer de le séduire.

– Voyons donc, où es-tu allée chercher ça...

– *Quand tu te promènes devant lui en robe de nuit transparente, sans porter de sous-vêtements, ce n'est pas de la provocation, peut-être?*

– *Je te rappelle que je suis chez moi, ici.*

– *Est-ce une raison pour te pendre à son cou quand il arrive?*

– *Ah! Le chat sort du sac... Jalouse de sa petite sœur, plus jeune et plus fringante! As-tu peur que je te le vole, ton prince charmant?*

– *Espèce d'effrontée. J'ai assez confiance en mes charmes pour ne pas m'en faire avec cette remarque déplacée. De toute façon, Ivan ne m'aime pas juste pour mon corps...*

– *Non. Tu as raison. Excuse-moi. Il doit t'aimer pour tes grandes qualités intellectuelles.*

– *Arrête, bordel! Ça n'a pas encore seize ans et ça pense tout savoir. En tout cas, garde tes élans de séductrice pour celui qui va te dévierger, petite garce!*

– *Arrête de rougir, ta face a l'air d'un steak! Avec tes yeux sortis de la tête en plus, c'est pas très joli.*

– *Quand tu seras adulte, on s'en reparlera. En attendant, retourne donc à tes occupations d'écolière au lieu de te pavaner dans tes accoutrements ridicules et de jouer les femmes fatales.*

– Tu peux bien parler, toi, maudite poufiasse, avec ta jupe ras-le-bonbon.

– Oh! Insolente.

– Ce n'est plus de ton âge.

Jeanne ne put retenir une gifle.

– La vérité choque, grande sœur?

– Comment peux-tu être aussi méchante?

– Tu es gentille, peut-être?

– Je suis ta sœur aînée. Tu me dois le respect.

– C'est bien parce que je suis ta sœur que je peux te parler comme ça. Les étrangers pensent sûrement la même chose sans le dire…

– Quoi, que tu veux séduire mon Ivan?

– Non. Que les jupes ras-le-bonbon ne sont plus de ton âge.

– Papa, nom de Dieu, fais quelque chose. Cette peste que tu as élevée n'arrête pas de m'humilier.

– Ne me mêlez surtout pas à vos histoires de bonnes femmes.

Finalement affaissée, jetant les coudes sur la table de cuisine et le visage dans les mains, s'avouant vaincue,

Jeanne pleurait à chaudes larmes. Ses épaules sursautaient à chaque sanglot. Magali continua à se manucurer. Joe avait poussé son assiette devant lui et observait la scène. On sonna à la porte. Jeanne se redressa, renifla, s'essuya les joues.

– *Tu es affreuse. Ton mascara a tout coulé et tes paupières sont rouges et boursouflées. J'espère que c'est ton fiancé et qu'il va te voir sous ton vrai jour.*

Magali se pressa vers la porte d'un pas assuré.

– *Ivan!*

Elle se jeta à son cou et l'embrassa sur la bouche. Ivan rougit, la repoussa gentiment et aperçut Jeanne le visage dans les mains.

– *Jeanne, ma douce, qu'est-ce qui se passe?*

– *Rien, rien mon chéri. On parlait de notre défunte mère et ça m'a mise toute à l'envers. On rentre?*

– *Oui. Bien sûr. Tout de suite. J'étais juste venu rapporter à ton père la pièce de la faucheuse. Tenez, Joe. Je l'ai mise dans l'entrée. C'est réparé. C'était sur la garantie.*

– OK mon grand. C'est parfait. Je t'attends demain. Arrive tôt.

Jeanne et Ivan partirent, bras-dessus, bras-dessous.

Le lendemain fut une journée de dur labeur pour les hommes. Chaque ballot de foin était plus fatiguant que le précédent. Ils rentrèrent à la ferme au coucher du soleil, épuisés. Magali avait servi de la chaudrée de volaille aux légumes et du pain frais, qu'ils dévorèrent. Fidèle à lui-même, Joe ne dit mot de tout le repas. Vingt heures sonnaient quand Ivan le salua et partit.

En passant devant la fenêtre de la chambre de Magali, il tourna la tête, avalant sa salive. Le rideau était encore ouvert. Magali, vêtue seulement d'une culotte blanche, brossait ses longs cheveux sur son épaule. Il fit un pas en arrière dans le talus, près du chêne, et regarda. Magali resplendissait. Tout son être éclatait d'une beauté saine, fraîche, quasi surnaturelle. Les courbes de ses hanches, symétriques, accentuaient la forme aguichante de son fessier. Elle avait la même beauté profonde que sa sœur, mais avec dix années de moins.

Elle admirait son image dans la glace de sa table de toilette. Comme la veille, elle fit doucement glisser ses doigts dans son sous-vêtement et ferma les yeux. Elle entreprit de cajoler son entrecuisse d'un mouvement de la main, caressant son cou, sa poitrine et son épaule de l'autre main. Elle jeta la tête par derrière et écarta davantage les jambes.

Ivan avait la verge armée comme un bâton de dynamite. Il ne put résister à accompagner sa belle-sœur dans ses caresses, tout en restant dans son buisson. Aussi détacha-t-il son pantalon pour aller chercher son organe implorant. Il se masturba vigoureusement, dirigeant ses pensées vers Magali, qui s'activait de plus en plus. Elle se pencha un peu vers l'avant, s'appuyant sur la table de toilette et reculant ses fesses pour mieux ouvrir sa fente. La tête en avant, elle entrait son doigt puis le ressortait vivement, les seins suivant le mouvement de son jeu.

– *Tiens, prends ça, et encore ça!*

Ivan imitait le mouvement du coït avec force.

– *Magali, Magali, prends mon sexe entre tes jambes…*

Magali montait et descendait sa main d'un mouvement de va-et-vient, la bouche entrouverte, exaltée.

Ivan, imitant sa source d'inspiration, s'appuya sur le chêne et continua sa caresse vigoureuse. Il éjacula sur l'écorce, jouissant silencieusement, en voyant sa distante compagne se relever et trembler de bonheur au bout de son doigt coquin.

Toujours appuyée sur la table, elle releva la tête et se regarda dans le miroir. Ensuite, elle s'approcha de la fenêtre et ferma les rideaux. Ivan se culotta, attendit quelques secondes en regardant de tous côtés pour s'assurer que personne ne venait, et s'en alla.

La troisième fois, l'aventure devint savoureuse. En quittant la ferme après une autre journée d'un travail acharné, il passa vis-à-vis la fenêtre de la chambre de Magali, et, à sa grande surprise, celle-ci l'attendait. Appuyée sur le cadre de la fenêtre, souriante, elle lui fit signe de venir. Ivan s'approcha.

– *Salut Magali, belle nuit étoilée, n'est-ce pas?*

– *Salut Ivan. Tu sais, je t'ai vu hier. Hier et avant-hier, quand tu m'aimais en cachette dans le talus.*

Le cœur d'Ivan ne battait plus. Ne sachant que dire, il la regardait, sidéré.

– *Viens, Ivan, prends-moi, juste une fois... Montre-moi comment on fait l'amour. Une seule fois, juste une, avant votre mariage. Après, vous serez unis devant Dieu et tu m'oublieras.*

Ivan ne bronchait pas. Pour mieux le convaincre, elle retira son t-shirt, dévoilant sa poitrine rose et bourgeonnante. Elle prit la main d'Ivan et la posa sur son sein.

– Je t'en supplie… tu ne peux me refuser ça. Je crains un étranger. Tu es beau. Tu me plais. J'aimerais tant que ce soit toi qui m'initie aux plaisirs de la chair. Ces choses-là doivent rester dans la famille. Je me tairai, je le jure. Personne ne saura, jamais.

Elle promenait la main de l'homme sur son ventre, se caressant elle-même, implorant son amour.

– Je serai bonne, Ivan, je serai si bonne! Je serai ton fruit juteux, ta fleur éclose, ton jouet d'un jour.

Elle changea de ton, chuchotant, devenant secrète et pressée.

– Viens, entre vite, avant que quelqu'un nous voie.

Ivan escalada la fenêtre et entra. Il fit un geste pour tirer les rideaux et aperçut sa cachette de la veille. Le cœur battant, il se retourna. Elle lui sourit. Elle enleva sa jupe et sa culotte et se blottit contre lui. Elle enlaça son cou et l'embrassa. Au contact de ces lèvres humides et charnues, de ce corps nu et fébrile serré contre lui, il se sentit envoûté. Il était électrisé, tombé qu'il était sous le charme de cette innocence mourante. Il n'aurait su dire depuis quand exactement, ni pourquoi, ni comment. Mais il se donna enfin, la laissant déboutonner sa chemise imprégnée de sueur, lui permettant de flatter ses fesses par-dessus son pantalon. Il fallait faire vite, avant que Joe ne remarque qu'il était encore là.

Elle baissa le pantalon et le boxer jusqu'au sol, puis s'agenouilla devant lui. Elle prit sa verge bandée dans sa bouche, lapant, léchant et suçant avec toute l'inexpérience dont elle était capable. Il caressait ses cheveux, ne pouvant se résigner à jouir si vite, malgré qu'il fut au summum de l'excitation. Après quelques malhabiles et tendres coups de dents, quelques mouvements désynchronisés et une ronde de baisers imparfaits, elle se releva.

– *Est-ce que c'est bien? Montre-moi comme on fait l'amour*, supplia-t-elle encore.

Il la prit dans ses bras, cette presque femme qui tremblait de désir, la déposa

sur le lit. Elle ouvrait les jambes, offrant sa chatte et tendant les bras. La
tentation était douloureuse, insupportable. Il s'approcha, s'étendit au-dessus
d'elle, tout en supportant son poids sur
ses bras, pour ne pas l'écraser, s'engouffra dans le trou serré, encore étroit,
tout mouillé et frétillant, et s'y aban-
donna.

– Je te fais mal?

*– Non, non, que c'est doux, que c'est
bon, encore, donne-m'en encore.*

Il se permit de s'aventurer plus profondément encore, appuyant sa poitrine
sur la sienne, toute ronde et chaude.

Il était le premier, à aller et venir, à
pénétrer le corps sublime de Magali. En
ouvrant les yeux il aperçut la photo de
la mère de ses maîtresses sur la table de
chevet. La ressemblance était frap-
pante, comme trois femmes dans un
même corps. Mêmes yeux noisette,
même sourire ravageur, même ondula-
tion dans le cheveu fin. Pour ne plus
affronter le regard de celle qui avait en-
fanté ses amours, il ferma les yeux, res-
pirant profondément le parfum de
lavande des draps, se mêlant aux efflu-
ves charnels de Magali.

Après quelques secondes à peine, il
sentit monter en lui un plaisir inouï, in-

comparable, et expira de volupté dans un coup de boutoir inégalé.

– *Aaahhh…*

Euphorique, la jeune Magali goûtait et apprenait tout de ce maître qu'elle avait choisi, pompant d'instinct avec son entrecuisse, comme pour emprisonner le plaisir dans l'éternité de son souvenir. Alors il vit les yeux noisette fixer vers nulle part, comme sa sœur au moment de l'extase.

– *Je suis à toi... Je suis tienne, Ivan. Ah! Oh! ouiiii hiii!...*

Il posa sa main sur sa bouche pour étouffer le cri. Le sperme suintant unissait les deux corps, scellant cet instant de communion. Sans attendre il se retira, doucement, embrassant au passage la poitrine pulpeuse de Magali, chaude et si vivante. Il avait envie de s'y perdre, de s'y blottir, de tout manger, de ne rien laisser pour les autres qui un jour, viendraient indéniablement se délecter de cette femme irrésistible et gourmande.

Magali sourit la première, les yeux brillants, cherchant la bouche de son amant, l'embrassant encore, prête à recommencer. Ivan mit fin aux caresses, se leva et se tourna vers la fenêtre, d'un air solennel en remettant son pantalon.

– *Tu en fais, une tête. Est-ce que je n'ai pas bien fait ça?* Demanda-t-elle.

– *C'était délicieux. Merveilleux. En fait, je ne sais pas si ç'a déjà été si bon.*

– *Ouais! J'ai bien aimé. On pourra le faire encore?*

Son regard réprobateur suffit à la faire taire. Elle reprit son ton de chuchotement.

– *Je sais. Va-t-en maintenant. Va la retrouver. Elle t'attend.*

Il était déjà parti. Un bref regard à droite, puis à gauche, et d'un bond, il était dehors. Il prendrait une douche en arrivant, pour laver et masquer les parfums de l'amour. Il ne se retourna pas pour lui dire au revoir. Elle comprit qu'elle l'avait ému.

Le temps accomplit son travail en estompant le souvenir de leur étreinte. Le quotidien solidifia les liens entre Jeanne et Ivan. Le jour du mariage arriva finalement. Le matin, les préparatifs allaient bon train chez les Papineau. Ivan arriverait dans quelques minutes pour venir les prendre pour se rendre à l'église. Joe, seul devant son miroir, s'appliquait à nouer sa cravate, qu'il n'avait pas portée depuis la mort de sa femme.

Magali aidait Jeanne avec sa robe. Jeanne était éblouissante dans cette longue robe blanche au décolleté plongeant. Elle était juchée sur un petit banc, devant la glace de la table de toilette, dans la chambre de Magali.

– *Tu es vraiment très belle, grande sœur.*

– *Magali! Est-ce que je rêve ou est-ce une larme sur ta joue?... Tu pleures?*

– *Je t'aime, Jeanne. Je suis si seule sans toi. Si vulnérable.*

Jeanne essuya cette larme sur la joue de sa sœur. Magali saisit la main, l'embrassa.

– *Ne me laisse pas, Jeanne. Donne-moi un dernier baiser…*

– *Non.*

– *Juste un, avant que je te perde à tout jamais.*

– *Non. C'est fini. C'est du passé. Je sais que tu comprends.*

– *Pardonne-moi.*

Magali posa ses deux mains sur la nuque de sa sœur et la tira vers elle. Leurs lèvres se touchèrent. Sentant l'abandon gagner Jeanne, Magali entreprit un baiser plus entraînant, inondant de salive mielleuse la langue timide de Jeanne.

– *Non, non, je ne veux plus*, protestait encore Jeanne, en ouvrant la bouche et en dégrafant son corsage, dénudant sa poitrine. Debout et haute sur son petit banc, elle disait non, mais présentait ses mamelles consentantes à Magali.

Naturellement synchronisé avec son destin, Ivan arriva à la ferme à cet instant, tout beau et paré comme un prince, pour venir chercher sa douce. Il s'arrêta au buisson, prit appui sur le grand chêne. Il cligna fort des yeux, comme pour s'assurer que ce qu'il voyait était bien vrai et cessa de sourire. Dans la chambrette, Magali léchait la poitrine pigeonnante de Jeanne, puis s'agenouilla devant elle. Elle releva la robe de mariée pour disparaître en-dessous. Jeanne s'agrippa à la commode, bascula la tête en haletant, dans sa grande robe de taffetas et de soie.

À l'ombre du grand chêne, l'estomac noué, le fiancé cocu pouvait voir les yeux de Jeanne basculer dans le nulle part, la voir donner des petits coups de poing sur la commode, il pouvait entendre son cri de jouissance accompagner les soubresauts de ses épaules.

– *Je viens, je viens, je viens, hiiiii...*

Magali ressortit presque aussitôt de dessous la robe, décoiffée, les joues roses. Elle s'essuya les lèvres du revers de la main et s'agenouilla de nouveau. Elle s'affaira à replacer la robe de Jeanne, comme elle le faisait quelques minutes auparavant, en petits gestes calmes et posés.

Ivan resta à l'ombre du grand chêne quelques instants, le temps de reprendre ses esprits, ne sachant trop s'il avait envie de bander ou de chialer. Puis, de son pas assuré de mâle amoureux, il alla sonner chez les Papineau, à la rencontre de sa destinée.

Fantasme masculin

*I*l quitta la maison vers 7 h 50, comme tous les matins depuis neuf ans. Il s'en allait échanger contre de l'argent ses prodigieux conseils de stratège pour une firme réputée de comptables. Neuf longues années et il avait à peine dépassé la trentaine. Était-ce une chance, finalement, que son père lui ait donné cette place de choix dès ses 23 ans? Non. Plutôt un miracle qu'il ait su convaincre des clients prestigieux pendant toutes ses années grâce à son seul talent.

C'est en pensant à toutes ces choses qu'il suivit le même trajet, croisa les mêmes passants pressés, remarqua les mêmes visages tristes et stressés. Le temps était chaud, lourd, gris, et il soupirait d'ennui. Sa vie de couple était devenue si monotone. Faire l'amour une fois par mois lui suffisait, l'envie n'était plus là, la flamme d'antan s'était évanouie.

Sophie ne l'excitait plus. Il ne voyait plus ses copains de bière et de hockey le samedi soir, comme autrefois. Le poids des responsabilités lui pesait.

Laissant place à un élan de folie douce, il se stationna quelques intersections avant le bureau, près du Parc Lafontaine, et partit à pied dans un sentier, gonflant ses poumons. Il s'en alla jouer à l'école buissonnière, pour imaginer quelques fantasmes avec des belles brunettes à gros nichons. Son rythme cardiaque s'accélérait, comme s'il se laissait aller à quelque interdit. Il se disait qu'à force de pousser des crayons, on oublie peut-être comment se servir du reste de son corps.

Il s'assit sur un banc isolé, en face des arbres. En regardant un homme s'éloigner avec ses chiens, les images de sa vie récente lui revenaient très vite, comme en cinérama. Sophie, le travail, les obligations. Et cette superbe blonde qui s'approchait, marchant d'un pas léger et joyeux, qui vint s'asseoir sur le banc, juste à côté de lui.

En inspirant profondément, il pouvait respirer le parfum de ses cheveux. Il admirait de côté la courbe de sa nuque et il ne lui en fallait pas plus. Il sentait son canon se parer à l'attaque. Ce qu'il donnerait pour baiser avec elle. Non, tiens, une pipe serait beaucoup mieux. Pas de trace, pas de culpabilité. Juste une petite *quicky* dans un parc. Hum, miam.

Est-ce qu'il fabulait ou est-ce qu'elle venait d'écarter doucement les jambes, pour laisser entrevoir un coin ombragé de son jardin secret? En fait, il ne pouvait simplement plus en détourner son regard. Il était comme envoûté et ne pouvait pas croire ce qui se passait.

Cette fille, bon chic bon genre, en jupe tailleur qui sentait le parfum frais, si blonde et si classique, le regarda droit dans les yeux, mouilla ses doigts d'un petit coup de langue et les glissa par le haut de sa jupe, descendit doucement jusque dans sa culotte et commença à se minoucher d'aplomb.

Elle se caressait par petits mouvements circulaires, les jambes légèrement écartées, sans le quitter des yeux.

Son regard devenait vitreux et sa respiration plus profonde. Ses narines frémissantes lui donnaient envie de la botter sans retenue. Il ne clignait plus des paupières ni ne respirait. Il ne savait pas qui elle était, mais ce qu'il savait, c'est que ça ne serait plus très long encore pour qu'il cesse de résister, pour qu'il aille la rejoindre et la mettre juste derrière le banc, dans le buisson. Comme ce serait bon et comme il était excité!

Elle passa sa main libre sous son chemisier blanc et caressa son mamelon entre son pouce et son index. Quand elle retira sa main de son chemisier, il remarqua ses longs ongles peints en rose et bien limés. Elle s'approcha encore un peu, prit la main de son partenaire du matin et la dirigea vers sa poitrine.

– Dis-moi, est-ce que je te plais? Touche comme mon sein est rond et dur, touche comme mon cœur bat pour toi. Caresse-moi, ouiiii... c'est ça, caresse-le tout autour sans toucher le bout, sens-tu comme je suis prête?

Il n'était plus tout à fait maître de ses gestes, il obéissait et haletait tel un petit chien docile, flattant le sein doux et ferme, rond comme une boule de plaisir qu'il aurait aimé sucer. Et ce sein il le tenait entre ses doigts, palpant la peau de velours et le bout bien bandé. Il osa descendre sa main vers le nombril, s'y attarda quelques secondes puis continua sa chute, attiré vers la moiteur tiède et blonde de cette femme fébrile. Il atteint la frontière de la culotte, y fit effrontément glisser ses doigts tremblants pour enfin toucher un ruisseau sinueux aux profondeurs invitantes.

Il se mit à faire valser son doigt au fond de cette fente onduleuse et gourmande, qui pompait, serrait et savourait en ses sillons cette intrusion matinale.

Tout en poursuivant sa caresse, il éprouvait un plaisir inouï à voir les traits du visage de sa blonde compagne palpiter et grimacer de plaisir au gré du roulement de son doigt. Lorsqu'il approcha vers les lèvres entrouvertes et suaves de sa maîtresse pour l'embrasser, elle ouvrit grand sa bouche et ses bleus iris basculèrent vers l'arrière. Elle trembla de tout son corps et ferma ses jambes sur la main prisonnière.

Elle roucoula deux cris de jouissance rauques qui ne pouvaient être feints. Puis, elle repoussa la main bienfaitrice et replaça ses vêtements. Elle fit mine de se recoiffer, saisit son sac à main et s'approcha encore plus de lui, sans le quitter des yeux. Lui sentait tout le sang de son corps bouillonner au bout de sa queue, comme un jet prêt à surgir, prêt à le propulser au ciel ou en enfer.

Elle le regarda, s'agenouilla dans l'herbe, puis elle baissa finalement les yeux pour ouvrir sa braguette, se pencha, et l'avala goulûment. Comme la cerise sur une crème glacée. Comme le meilleur des suçons. Ses grandes lèvres roses assorties à ses ongles glissaient sur le gland, la petite main tiède caressait le scrotum. Cette femme agenouillée devant lui, le regard enfin baissé, lui léchait la queue de toute son âme. Elle était soumise, délicate, et elle mangeait sa queue gonflée et écarlate.

Quand elle reculait de quelques centimètres pour reprendre son souffle, le vent frais chatouillait la peau inondée de son sexe. Il tirait alors vers lui la blonde tignasse, pour bien s'enfoncer dans cette bouche de fée. Il n'était plus sur terre, mais quelque part ailleurs, plus près du ciel, bien loin du Parc Lafontaine.

La bouche hardie glissait, les cheveux blonds lui chatouillaient la main, le parfum frais qui se mêlait à l'odeur de son sexe l'envahissait, la clarté du jour l'aveuglait, même les yeux fermés. Il ne pouvait, ni ne voulait se retenir et ça y était. Il giclait au bout du monde et flottait dans les étoiles.

Il lui tenait les épaules, enfonçant sa verge plus profondément, jusqu'au fond de sa gorge, comme pour emprisonner sa jouissance. Elle se releva, s'essuya la bouche et fit un signe de tête en baissant les yeux, en guise de salut. *Je suis ravie, ta bitte est vraiment grosse et magnifique! C'était le fun, hein? Je m'appelle Zoé. Salut!* Elle lui fit un clin d'œil, rit et partit, le laissant pantois, les yeux brillants et la bouche bée. Et il ne l'avait même pas embrassée.

Il vit qu'elle avait un joli petit cul qui se balançait de façon distinguée et elle ne se retourna pas. Il se leva. Il serait quinze minutes en retard. *Big deal.* Pas de trace. Pas de témoin. Un travail bien fait.

Il retourna à sa voiture. C'est en pensant à toutes ces choses qu'il suivit le même trajet, croisa les mêmes passants pressés, remarqua les mêmes visages tristes et stressés. Le temps était encore gris. Mais ce n'était plus tout à fait pareil.

La journée se déroula plutôt bien. Il ne s'était pas senti aussi détendu depuis longtemps. En rentrant, le soir, il remarqua que Sophie s'était faite belle, elle portait sa chemise bleu ciel déboutonnée qu'il aimait tant. Elle lui avait préparé un petit souper et le coucher du soleil était superbe. Ils mangèrent sur la terrasse, sous les vignes, avec comme musique de fond le bruissement des feuilles du tremble et le chant des oiseaux.

– Dis-moi, chérie, le plombier est-il venu, aujourd'hui?

Table des matières

Autres publications
aux éditions Guzzi

L'An 2000 et après...
de Gaétane Bergevin

La vision d'une remar-
quable médium sur ce
prochain siècle enfin
démystifié.

L'amer à boire
de Manon Robert

Un thriller psychologi-
que qui nous entraîne
dans les profondeurs du
subconscient.

***La santé par l'homéo-
pathie et l'astrologie***
de Marie-Lise Pelletier

Retrouvez la santé avec
l'homéopathie et l'astro-
logie.

Le choix d'une vie
de Jacqueline Boyé

Claire voit sa vie bascu-
ler et prendre le dessus
au-delà de ses choix,
comme si son existence
était déjà toute tracée.

Comme un grand cri d'amour
de Michel Conte

Le récit émouvant, entre le cœur et l'âme, écrit par un grand auteur compositeur et écrivain.

L'Hermaphrodite endormi
de Barbara Brèze

Les aventures sexuelles d'un jeune hermaphrodite déluré.